C000051682

Syniad Da

Y bobl, y busnes – a byw breuddwyd

MOTO NI, MOTO COCH

Canmlwyddiant Cwmni Bysus Clynnog a Threfor

Argraffiad cyntaf: 2012

Rhif rhyngwladol: 978-1-84527-396-5

Mae'r cyhoeddwr yn cydnabod cefnogaeth ariannol
Cyngor Llyfrau Cymru

Cynllun clawr: Sion Ilar

Cyhoeddwyd gan Wasg Carreg Gwalch,
12 Iard yr Orsaf, Llanrwst, Conwy, LL26 0EH.
Ffôn: 01492 642031 Ffacs: 01492 641502
e-bost: llyfrau@carreg-gwalch.com
lle ar y we: www.carreg-gwalch.com

MOTO NI, MOTO COCH

Geraint Jones

*Cyflwynedig i bobl y Moto Coch
– ddoe, heddiw ac yfory*

Diolch:

- *am y fraint o gael crynhoi'r hanes*
- *am gael benthyg llu o luniau*
- *am gydweithrediad a chymorth staff y cwmni*
- *am wybodaeth, straeon ac awgrymiadau*
- *am gymorth fy nghyfaill Dawi Griffiths yn 'sgubo'r brychau*
- *i Wasg Carreg Gwalch am eu cydweithrediad diffwdan
  a'u gwaith cymen*
- *am eich cefnogaeth chi, brynwyr
  a darllenwyr y gyfrol hon*

4

Cynnwys

1.

MAE BRO RHWNG MÔR A MYNYDD

Anghysbell, diarffordd a dinab-man ydi'r geiriau ddaw i'r meddwl wrth ddisgrifio plwyfi Clynnog a Llanaelhaearn ddwy ganrif a rhagor yn ôl. Ardal amaethyddol ddigon llwm a thlawd ei byd oedd y rhan orllewinol hon o hen gwmwd Uwchgwyrfai yn Arfon, ardal o rai ffermydd eitha ffyniannus, ond yn bennaf yn ardal o dyddynnod a bythynnod gwasgaredig, yn gartrefi i deuluoedd a'i câi hi'n anodd drybeilig cael dau ben llinyn ynghyd.

'Dydi'r disgrifiadau cynnar o'r fro ddim yn rhyw ganmoliaethus iawn, a dweud y lleiaf. Pan ymwelodd yr arloeswr a'r diwygiwr Methodistaidd Howell Harris â Sir Gaernarfon ym 1750 – ei bumed taith – y cyfan allai o ei ddweud ar gyrraedd ohono blwyf Llanaelhaearn ar ddydd Iau y 15fed o Dachwedd oedd hyn: '*I came to Llanheuarn ... & my spirit by believg. was Kept above water*'. Mae'n debyg i bobl plwyf Llanaelhaearn ei gam-drin yn bur arw. Awgryma hyn natur wyllt ac anhydrin yr ardal bryd hynny.

Drigain mlynedd yn ddiweddarach cafwyd Edmund Hyde Hall yn teithio trwy gwmwd Uwchgwyrfai ac mae'n disgrifio plwyf 'Llanhairn' fel ardal lle mae'r tir yn newid – '*contracts into a pass between the prodigious mountains of Gurn Goch ... and the 'R Eifl ... through which the turnpike road goes ... The character of the horrid here greatly predominates, though attended with much of the sublime*'.

Ffyrdd yr ardal

Cyn y ddeunawfed ganrif doedd yna ddim ffyrdd gwerth sôn amdanynt yn y rhan hon o Sir Gaernarfon. Rhyw dri chan mlynedd yn ôl, fodd bynnag, daeth rhywfaint o dro ar fyd. Tua'r flwyddyn 1700 lluniodd y Llywodraeth yn Llundain gynllun i wella, a chynnal a chadw ffyrdd, ynghyd ag agor rhai newydd. Ond fe gymerodd hi hanner canrif arall cyn i bethau ddechrau symud o ddifrif yma yng Nghymru.

Sefydlwyd Ymddiriedolaethau Tyrpegau oedd â hawl i godi tollborth. Gwŷr bonheddig a thirfeddianwyr oedd y bobl hyn, a chawsant ganiatâd Senedd Llundain i ffurfio cwmni a elwid wrth ei enw'n Turnpike Trust. Wedi cael y caniatâd hwnnw, gallent godi arian trwy gynnig stociau a elwid yn 'Road Bonds'. Nhw wedyn oedd yn gyfrifol am gynnal a chadw'r briffordd yn eu hardal benodedig hwy. I gael yr arian angenrheidiol (a llawer rhagor yn elw!) roedd ganddynt hawl i godi tollborth, sef giât ar draws y lôn y byddai'n rhaid i deithwyr, anifeiliaid a cherbydau dalu am fynd trwyddi. Yn y fan honno y gorweddai ffynhonnell arian y cwmni.

Amrywiai'r tâl ryw ychydig o ardal i ardal ond ar y cyfan cedwid at y taliadau canlynol.

gwŷr traed ... ... am ddim
marchog ... ... ceiniog neu ddwy
cerbyd neu wagen ... ... chwe cheiniog
ugain o foch, lloi neu ddefaid ... ... chwe cheiniog
ugain o wartheg ... ... swllt

Byddai'r hen borthmyn yn ddigon hir eu pennau i osgoi cymaint ag y bo'r modd o'r tollbyrth hyn trwy yrru ar draws gwlad, corsydd neu beidio. Ni chodid tâl ar 'gerbydau post y deyrnas', na chwaith ar droliau gwrtaith neu gynhaeaf.

Roedd cyfraith gwlad, felly, wedi pennu symiau'r doll, mwy neu lai, ond eto heb ofalu dweud pa mor aml ar y ffordd y gellid gosod giât lle gellid hawlio'r tollau! Pe dymunai, gallai cwmni godi clwyd bob canllath o'r ffordd, ac mewn rhai rhannau o Gymru ceid ffyrdd a oedd yn frith o giatiau a hynny, o ganlyniad, yn achos anghyfiawnder a thlodi dybryd. Hyn, yn fwy na dim, achosodd ffrwydrad o wrthryfel yng Nghymru ym 1843 yn erbyn y tollbyrth – Gwrthryfel 'Beca.

Yn yr ardal hon, fodd bynnag, ni welwyd 'Beca a'i byddin yn dryllio'r clwydi gefn nos, hynny oherwydd nad oedd y sefyllfa cynddrwg â honno mewn rhannau o Ddyfed yn y de-orllewin.

Y ffyrdd tyrpeg

Y ffordd dyrpeg gyntaf yn Sir Gaernarfon oedd honno o'r fferi yn Nhal-y-cafn i Gonwy, ger y Gyffin. Fe'i hagorwyd ym 1759. Lai na deng mlynedd yn ddiweddarach, daeth y ffordd o Gonwy i'r gorllewin yn ffordd dyrpeg, ac ym 1772 y rhan honno ohoni o Gaernarfon i Bwllheli trwy blwyfi Clynnog a Llanaelhaearn. Erbyn diwedd y ganrif ceid tua 35 o dyrpegau (tollbyrth) yn Sir Gaernarfon. Roedd yna dyrpeg ynghanol pentref Clynnog Fawr ac un arall ym mhlwyf Llanaelhaearn rhyw ddau can llath i'r de o Hen Efail Penlôn. Daeth y ffordd hon – y 'lôn bost' fel y'i gelwir gennym hyd y dydd heddiw – yn ffordd o bwys yn yr hen Sir Gaernarfon.

Roedd y post yn cyrraedd Conwy a Biwmares cyn 1702 ac erbyn 1756 cyrhaeddodd Fangor a Chaernarfon. Ym 1807 ceid post 3, 4 neu 5 niwrnod rhwng Caernarfon a Phwllheli ac ym 1838 roedd cerbyd rheolaidd yn cludo post rhwng y ddwy dref. Yr adeg honno araf iawn oedd y symud. Cymerai bedair awr i deithio o Fangor i Bwllheli, a byddai'r goets fawr yn gadael dinas Bangor yn ddyddiol am saith o'r gloch y bore ac yn dychwelyd o Bwllheli am dri o'r gloch y prynhawn.

Y tyrpaig pwysicaf o ddigon ar y ffordd oedd Tollborth

Pont Saint ar gwr gorllewinol tref Caernarfon. Mae cyfansymiau'r arian a dderbyniwyd wrth y giatiau yn dangos hyn yn glir. Ym 1824 casglwyd £54 wrth giât Llanaelhaearn, ac ym 1832 casglwyd £74 yng Nghlynnog a £168 ym Mhont Saint.

Tyrpaig Llanaelhaearn

Un o'r teuluoedd fu'n cadw Tyrpaig Llanaelhaearn am flynyddoedd oedd y teulu Watkin. Bu mab y Tyrpaig, Philip Watkin, yn ysgolfeistr yn Llanystumdwy am gyfnod, ac fe ganodd neb llai na Robert ap Gwilym Ddu gywydd o fawl iddo (*Seren Gomer* 1819). Yn ddiweddarach bu Philip a'i wraig yn Feistr a Metron Wyrcws Pwllheli o 1856 tan 1869.

Un arall a fagwyd yn yr hen Dyrpaig oedd Griffith Williams (1883-1972), gŵr a adwaenwn yn dda. Roedd yn frawd i Daniel (1889-1947) a fu farw yn y Gwaith Mawr, ac yn fab i Dafydd a Winifred (Gwen) Williams (1858-1946), Y Tyrpaig. Hi hefyd a fagodd y wraig fu'n cario'r post yn Nhrefor am flynyddoedd maith, Katie Williams – 'Katie Post', ac ambell dro, 'Katie Gwen'. Roedd Gwen, yn ôl adroddiad papur newydd am ei hangladd, yn un o ddisgynyddion yr arlunydd Cymreig bydenwog, Richard Wilson (1714-82). Ei thad oedd Capten John Wilson Roberts, Nefyn.

Ar ochr y lôn, dros y ffordd i'r Tyrpaig, roedd carreg filltir go fawr, ac i wahaniaethu rhwng y llu o Griffithiaid oedd hyd y lle ganrif a rhagor yn ôl, fe lysenwyd y Griffith hwn yn Griffith *Mile*. A do'n wir, fe fabwysiadodd yntau'r enw'n swyddogol, a dyna geir ar garreg ei fedd ym mynwent Llanaelhaearn – Griffith Mile Williams, 15 New Street, Trefor – er mai'n ddifilltir y'i bedyddiwyd!

Chwalwyd yr Hen Dyrpaig ganol y ganrif ddiwethaf pan

gafwyd gwelliannau i'r lôn rhwng Penlôn a phentref Llanaelhaearn. Safai'r hen dŷ ar yr ochr chwith i'r ffordd wrth deithio am Bwllheli rhwng Penlôn a Phont Tyddyndrain, nid nepell o gompownd y North Wales Power gynt. Os cofiaf yn iawn, Wmffra Jôs Lôn oedd yn byw yno yn nyddiau olaf yr hen le.

Tyrpaig Clynnog Fawr

Deil hen Dyrpaig Clynnog ar ei draed heddiw ac mae rhywun yn byw ynddo, dros y ffordd i'r Efail ac wedi ei leoli, yn yr hen ddyddiau, i ddal traffig Caernarfon – Pwllheli, a Chlynnog – Capel Uchaf. Tua chanol y 19eg ganrif agorwyd ffordd newydd drwy Glynnog ac roedd y tyrpaig ar yr union le i gasglu arian ar honno hefyd!

> Ein ffordd newydd bydd yn boddio – teithwyr,
> Tuthiant heb orffwyso;
> Hardd iawn eu trefn, rhoddant dro
> Neu wib i'w neges heb nogio.
>
> (Eben Fardd)

Dechrau teithio o ddifrif

Gyda dechrau cloddio gwenithfaen yr Eifl ar raddfa helaeth, a chodi pentref newydd Trefor yn ail hanner y 19eg ganrif, daeth bro'r Eifl yn ardal ddiwydiannol boblog a phrysur a'r galw am gyfleusterau teithio o le i le, yn arbennig i Gaernarfon a Phwllheli, yn cynyddu'n gyson.

Roedd y ffordd bellach wedi ei gwella'n sylweddol, ac ym 1857, flwyddyn wedi gosod carreg sylfaen *Pentref Trefor* (dyna oedd ei enw gwreiddiol) gan Trefor Jones, cafwyd y gwasanaeth bws go iawn cyntaf ar gyfer teithwyr. Nid bws modur mohono, wrth gwrs, ond cerbyd a phâr o geffylau'n ei dynnu. Fe'i gelwid yn '*omnibus*'. Fel hyn yr hysbysebai'r perchennog, John Ray, y gwasanaeth yn y *Carnarvon & Denbigh Herald* ar yr 20fed o Awst 1857:

'*The well-appointed omnibus, the PRINCE of WALES, leaves the ROYAL & SPORTSMAN Hotel, Carnarvon, daily (Sunday excepted) at 2.30 pm, arriving at Pwllheli at 5.30 pm. The PRINCE of WALES leaves the CROWN Hotel, Pwllheli, via the same route at 8.30 am, arriving at Carnarvon at 11.30 am.*'

Ie, taith o dair awr un ffordd. Bellach, daeth cludo teithwyr yn ddyddiol rhwng Caernarfon a Phwllheli yn fater o raid, ac erbyn diwedd y ganrif a thrwy ddegawd cynta'r ugeinfed ganrif roedd mwy nag un 'cariwr' wrthi'n ymgiprys am gwstwm pob teithiwr.

Llun dynnwyd o ben Allt y Llan, Llanaelhaearn. Yn y pellter mae'r Hen Dyrpaig, ac ar waelod yr allt, Dafarn Newydd. Mae'r ddau le wedi hen ddiflannu.

2.
YR HEN GARIWRS

Y pwysicaf, a'r mwyaf prysur debygwn i, o blith yr hen 'gariwrs' oedd y cymeriad nodedig John Williams ('Siôn Wiliam'), Tyddyn Coch. Saif Tyddyn Coch led cae o'r lôn bost ger Penlôn Trefor. Daeth Siôn Wiliam yn adnabyddus i gylch eang fel cariwr, yn bwyllog a gofalus ac yn 'ddyn ceffyla' o doriad ei fogail. Roedd carnau'r ceffylau hynny ac olwynion 'Car Tyddyn Coch' yn prysur gochi'r llwybrau rhwng Caernarfon a Phwllheli gan baratoi'r ffordd megis ar gyfer Cochyn arall, enwocach, maes o law. Cafodd Siôn Wiliam fyw i weld y Moto Coch ond bu farw'n ddisymwth ym Mawrth 1913.

Rheilffordd newydd?

Yn y papur wythnosol *Y Chwarelwr Cymreig* ar y cyntaf o Ragfyr, 1898, ceir adroddiad ar fater cael gwasanaeth rheilffordd – ie'n wir, rheilffordd, nid bws modur – i blwyfi Clynnog a Llanaelhaearn. Robert William Jones ('Robin Wili' Nant Bach) oedd awdur yr adroddiad, ac fe sgrifennai dan ei enw barddol 'Treforian'. Cyfarfu Robin Wili, ŵr amryddawn, â'i dranc mewn modd alaethus yng Ngorffennaf 1911 yn 56 oed, pan syrthiodd oddi ar ben llwyth gwair yng nghae Llwynaethnen. Mae'n werth dyfynnu o'i adroddiad byr.

Dweud y mae o fod y mater o gael rheilffordd o Ben-y-groes trwy Drefor a Llanaelhaearn 'o dan ystyriaeth fanylaf Cwmni Llundain a'r Gogledd Orllewin. Y mae'n amlwg i bawb fod gwir angen am linell trwy y rhan yma o'r wlad, a hyny mewn trefn i ddadblygu adnoddau yr ardal yn briodol.

Y mae yn Trefor yn unig ganoedd o filoedd o dunelli o nwydd y gellid cael marchnad iddo pe buasai yma ffordd haiarn; ac yn niffyg hynny, y mae y cyfryw yn gorwedd yn hollol farw. Yn awr amdani, drigolion Trefor ...'

Dyna'r alwad, a dyna'r her. Ac fe barhaodd y sôn am agor rheilffordd drwodd i'r ganrif ddilynol hefyd. Yn yr *Herald Cymraeg*, 27 Mai 1902, ceir y paragraff hwn:

'Mae y gymdogaeth yma yn cychwyn y ganrif megis ar flaenau ei thraed – mewn agor gweithfeydd newyddion, ac adeiladu. Mae rhai ugeiniau o weithwyr o bob dosparth eisoes yn gweithio yn y tri gwaith ... Mae sibrwd yn y gymdogaeth fod y *London & North Western Railway Co.* am agor gwaith yn Graig Galltderw er cael "metalling" a "setts".'

Go brin bod llawer o wir yn y fath sibrydion, gan na chlywyd rhagor, hyd y gwn i, am y peth.

Cariwrs eraill

Aeth y 'diwydiant' cludo teithwyr, fodd bynnag, rhagddo'n hyderus ddigon, a chafwyd nifer o gariwrs yn codi fel madarch ym mhob rhan o'r fro. Soniais eisoes am Siôn Wiliam, Tyddyn Coch. Cariwr blaenllaw arall oedd John Thomas (1859-1921), Bryn Coch, o bentref Trefor, oedd yn cario'n bennaf rhwng Trefor a Chaernarfon, yn enwedig ar ddydd Sadwrn, diwrnod marchnad yn y dref. Fo ddaeth, maes o law, yn gondyctor cynta'r Moto Coch ym 1912.

Roedd yna gariwr arall wrthi yn yr Hendra hefyd, sef William Williams

John Thomas, Bryn Coch, cariwr, a chondyctor cynta'r Moto Coch 1912-9

('Wil Pen-steps', 1860-1936), 1 Green Terrace. Ond gan fod William yn gweithio'r dydd yn Chwarel yr Eifl, ei wraig Mary (1860-1918) fyddai'n cludo'r teithwyr nôl a blaen i Bwllheli, yn enwedig ar ddydd Mercher, diwrnod marchnad. Bu William yn cadw siop hefyd am flynyddoedd ym Mhensteps, yn arbenigo, meddir, 'mewn tuniau samon a sardîns a phetha' felly'. Delicatessen cynnar.

Ceid cariwrs ym mhentref Llanaelhaearn hefyd. Roedd gan Owen Jones, Cariwr, a William Williams, Glan-rhyd, gerbydau dau geffyl, a William Gapper yntau gerbyd un ceffyl.

Yn ei atgofion cyhoeddedig gall Gwilym Owen, a anwyd ym 1904, gofio'i hun yn blentyn yn 2 Erw Sant, Llanaelhaearn, ac yn ymuno â phlant Ysgol Sul capel y Babell yng Nghymanfa Ganu'r M.C. ym Mhwllheli, a char Glan-rhyd, gyda mab William Williams yn ei yrru, yn eu cario yno.

Teithio modurol

Erbyn hyn rydym wedi cyrraedd y cyfnod pryd y gwelwyd cerbydau modur o bob math yn hawlio sylw ar ein heolydd. A daeth gogledd Cymru yntau yn rhan o'r chwyldro peirianyddol hwn. Roedd y trên stêm gyda ni ers hanner canrif dda, a'r agerlong (stemar) hithau. Ac o 1873 ymlaen, peiriannau ager (loco bach), ac nid ceffylau fel cynt, fu'n tynnu gwagenni'r Gwaith, yn llwythog o gerrig, i lawr at y Cei a'i longau.

3.
OES NEWYDD

Cafwyd bysus hefyd yng ngogledd Cymru, a'r rhai cyntaf wedi'n cyrraedd cyn i'r hen ganrif dynnu'i thraed ati. Ym mharadwys glan-y-môr Llandudno trefnai'r Motor Touring Company deithiau bws i ymwelwyr drwy gydol misoedd haf 1898. Ond y gwir amdani oedd mai'r cwmnïau rheilffordd oedd y gwir arloeswyr, yn cynnig gwasanaeth bysus modur fel estyniad i'w gwasanaeth trenau.

Y bysus cyntaf

Mae'n gwbl sicr bellach mai'r bws gwasanaeth go-iawn cynta yng ngogledd Cymru oedd bws y Cambrian Railways, a gariai deithwyr o'r Hen Stesion ym Mhwllheli i dref (ynteu pentref, deudwch?) cyfagos Nefyn. Hyn yn y flwyddyn 1906. Orion peiriant llorweddol oedd y bws yma ac o'r flwyddyn honno ymlaen gwelwyd nifer o fysus yn hawlio'u llwyfan ar ffyrdd siroedd y gogledd. Erbyn blwyddyn geni'r Moto Coch roedd y gwasanaeth i Nefyn wedi gwella'n arw. Ddiwedd Ionawr 1912 adroddwyd yn yr *Herald Cymraeg* fod 'Cwmni Rheilffordd y Cambrian yn trefnu i redeg cerbyd modur i Nefyn mewn tua deugain munud yn lle 75 munud fel yn awr'. Er bron haneru'r amser, roedd yn dal yn dipyn o falwen, ddwedwn i!

Y math mwyaf poblogaidd o'r bysus cynnar oedd y Milnes Daimler (tan tua 1910). Pris llawn hwn oedd rhwng £800 ac £850. Gwaetha'r modd, roedd teiars (teiars caled) yn ddrud gynddeiriog, ac yn araf y symudai'r bws. Rhyw 8-10 milltir yr awr oedd ei 'cruising speed', ac roedd popeth ynglŷn â'r bws yn swnllyd dros ben. Dyna pam y'i gelwid, yn

Y Commer, y bws cyntaf, yn sefyll yn dalog ger y Ffownten ar Faes Caernarfon. Nid yw Lloyd George wedi cyrraedd y Maes ym 1912

goeglyd ddigon, yn 'conker box'. Fe'i disodlwyd yn fuan gan y Commer poblogaidd a ddefnyddiwyd yn helaeth gan y cwmnïau bysus newydd oedd yn ymddangos fel tatws laeth ym mhobman.

Ym 1906, dros y ffin yn ninas Caer, sefydlwyd cwmni newydd arwyddocaol gan ŵr o'r enw George Crosland Taylor. Daeth y cwmni hwn, maes o law, yn elyn anghymodlon i'r Moto Coch a'r cwmnïau gwledig, a'i enw'n anathema iddynt. Galwyd y cwmni newydd yn Crosville Motor Company, cwmni a ymledodd ei grafangau barus yn fuan yr holl ffordd o Gaer i Aberdaron.

Oes a byd newydd

Erbyn 1912 roedd yr oes yn prysur newid yn ei hagwedd at fywyd yn gyffredinol. Roedd moesau ac arferion yn newid, a'r capeli'n dechrau colli gafael ar lywodraeth dwrn dur y Sêt Fawr oedd, i raddau helaeth iawn, wedi rheoli buchedd a symudiad pobl yr ardaloedd hyn cyhyd. Eisoes pylodd gwres Diwygiad 1904-05.

Ymosododd y Parchedig T.H. Richards, ficer Clynnog Fawr yn Arfon, yn hallt ar y capeli ac Ymneilltuaeth Gymreig am yr hyn a alwai'n gulni. Eto'i gyd, teimlai gweinidogion tref Pwllheli y dylsent fynychu gemau pêl-droed er mwyn i'w presenoldeb leihau'r tyngu a'r rhegi a glywid mor aml ar y meysydd chwarae.

Ddiwedd 1912 cwynai'r Parchedig Caleb Williams, gweinidog Gosen (M.C.), Trefor, yng Nghyfarfod Misol Llŷn ac Eifionydd, 'fod yr awch oedd yn yr oes am fyned ar ôl difyrrwch a phleser yn fwy na'u parch i'r Sabath'. Ychwanegodd y 'ceid gweled llawer yn manteisio ar y dydd i fyned i ddifyrru eu hunain yn eu cerbydau ac ar eu beisiclau'.

Saith mis yn ddiweddarach gallai'r *Genedl Gymreig* longyfarch Eleazer Parry o Drefor (ddaeth yn Gynghorydd Sir a Henadur flynyddoedd yn ddiweddarach) ar gael ohono 'fodur farch' (moto beic, dybiwn i) newydd oedd yn destun rhyfeddod yn y fro. 'Mawr yw yr edrych, canmol a'r edmygu ... dyma y cyntaf o'r fath hwn yn cael ei berchnogi yn y fro. Dymunwn i'r cyfaill ieuanc hwyl a chysur a llawer siwrna ddifyr drwy y wlad yn ei oriau hamdden'. Gan gynnwys y Sabath, 'sgwn i?

4.

Y FLWYDDYN 1912

Roedd y blynyddoedd cyn Y Rhyfel Mawr, 1914-18, yn arbennig efallai 1912, yn flynyddoedd llawn newydd-deb, yn fwrlwm o weithgaredd gwleidyddol, crefyddol a diwylliannol rhyfeddol o egnïol, ac yn unman yn fwy felly nag ym mhentrefi Clynnog a Threfor. Dyma'r flwyddyn y penodwyd Lloyd George yn Ganghellor y Trysorlys, a phryd y bu galw taer gan Dr. Chapple yn Senedd Llundain am hunan-lywodraeth i'r Alban. Cyrhaeddodd Amunsden Begwn y De, a chafwyd methiant 'arwrol' Capten Scott.

Yn nes adref trowyd Castell Madryn yn Llŷn, hen gartref teulu Love Parry, yn goleg amaethyddol, ac agorwyd nifer o ysgolion 'awyr iach' newydd ym mhentrefi Sir Gaernarfon, fel ym Meddgelert a'r Ffôr.

Yng Nghaernarfon gwerthai Griffith Owen 'Sudd Iachaol Carn yr Ebol' i gryfhau ac arfogi'r frest rhag annwyd, potelaid o'r hylif gwyrthiol i'w gael am swllt a cheiniog a dimai, hynny ar yr union adeg yr hyrddiwyd dros bymtheg cant o drueiniaid y Titanic i rewllyd, ddyfrllyd fedd.

Tybaco Pencaenewydd

Aeth Pencaenewydd yntau'n newydd trwy ei arbrawf rhyfeddol. Penderfynodd Rupert Williams Ellis, Glasfryn, a D.H. Davies, 'Rorsedd, dyfu tybaco ar raddfa pur helaeth. Cyflogwyd arbenigwr, un A.V. Campbell (a drigai yn Chwilog) i oruchwylio'r holl fenter. Cafwyd planhigion o Iwerddon a phlannwyd tair acer yng Nglasfryn, un acer yn 'Rorsedd, a llai yng Nghae'r Tyddyn, Pentyrch Isa a Broom Hall. Y gobaith ym Mehefin 1912 oedd y byddid yn eu cynaefu'n bedair troedfedd ym mis Medi.

Fis Hydref, adroddwyd yn y wasg leol bod 'yr anturiaeth yn llwyddiant mawr'. Codwyd sied ganfas anferth i hongian 43,000 o blanhigion tybaco ynddi, yn wledd Gymreig, maes o law, ar gyfer holl ysmygwyr y wlad.

Ac yn Nhrefor

Yn Nhrefor roedd y Gwaith Mawr yn ôl ar ei draed yn dilyn trawma methdaliad y Cwmni Ithfaen Cymreig ym 1910. Bellach roedd yn rhan o Gwmni Penmaen-mawr (P. & W.G. Co. Ltd.). Adeiladwyd estyniad helaeth o goed i'r cei cerrig yn yr harbwr – y Cei Pren, cei sydd heddiw'n gant oed ac ar ei wely angau.

Bu gaeaf 1911-12 yn eithriadol o oer a chafwyd prinder glo. I liniaru peth ar gyni pentrefwyr Trefor, rhoddod perchennog Elernion, Cyrnol Lloyd Evans, Broom Hall, ganiatâd iddynt oll fynd i Goed 'Lernion am ddeuddydd i dorri coed. Bu cannoedd yno â'u llifiau a'u bwyeill a'u sachau!

Ffyrdd yr ardal

Beth am ffyrdd yr ardal a chludiant pobl hyd-ddynt? O leia, roedd Clynnog ar y briffordd ac yn gymharol hygyrch, a'r 'lôn newydd' y canodd Eben Fardd iddi bellach yn hen. A'r Hen Lôn fel y'i gelwid oedd yr unig fynediad i bentref Trefor, lôn gul a throellog gyda'i dwy allt serth a'i Phant 'Lernion gwlyb a thyllog – yn llawn bwganod!

Roedd yr alwad gyson am ffordd newydd yn hen, hen gri. Yn Ionawr 1912 bu Cyngor Llŷn, unwaith yn rhagor, yn trafod y mater – a'i ohirio am fis. Chwe mis yn ddiweddarach cynhaliwyd cyfarfod cyhoeddus yn Nhrefor a galwyd am gael 'Lôn Newydd'. Bu'n rhaid disgwyl bron i chwarter canrif arall (1936) cyn y gwireddwyd y breuddwyd.

Dethlir canmlwyddiant arall yn Nhrefor yn 2012 – adeiladu'r Cei Pren.
Dyma lun ohono'n cael ei adeiladu ym 1912. Yn wahanol i'r Moto Coch,
mae'r cei druan ar ei wely angau.

5.

CYFRAITH A THREFN AR Y FFYRDD

Plismon plwyf Llanaelhaearn oedd yr Heddwas Evans, a bu yma am gyfnod o dair blynedd ar hugain, o 1896 tan 1919. Gellir disgrifio 'Ifas Fawr', fel y'i gelwid, yn blismon gwlad o'r iawn ryw, yn gwbwl ddi-lol pan yn delio â drwgweithredwyr, boed y rheini'n lladron dwyn glo, yn lladron dwyn ieir neu'n hogia'n dwyn 'fala. Ni faliai am gymryd y gyfraith i'w ddwylo ei hun a bu bonclust neu gic-dan-dîn yn eu pryd yn llawer mwy effeithiol na llusgo pobl a phlant gerbron ynadon costus. A chyda dyfodiad y cerbyd a'r bws a'r beic modur i fywyd yr ardal cafodd Ifas Fawr yntau fodd i fyw. Roedd llawer o ddamweiniau'n digwydd bellach ar y ffyrdd, cymaint o yrwyr y peiriannau peryglus hyn mor anhylaw ac anghyfarwydd.

Roedd hyn yn wir am bobman mewn gwirionedd. Cymerer fel enghraifft, yn hwylus ddigon, flwyddyn geni'r Moto Coch. Allai neb, na gwreng na bonedd, na hyd yn oed esgob, osgoi peryglon enbyd y confeans newydd. Bu cerbyd modur Esgob Llanelwy mewn gwrthdrawiad â char a cheffyl yn Y Rhyl, a cherbyd modur Esgob Bangor mewn damwain gyffelyb ger Biwmares fis Tachwedd y flwyddyn honno.

Fis yn ddiweddarach rhoddodd ynadon Caernarfon ddirwy o hanner coron ar Evan Owen, Clynnog, am yrru cerbyd modur heb drwydded. Bu'r llysoedd lleol yn brysur yn ystod Hydref 1912 gydag amrywiaeth o achosion ffyrdd ger eu bron.

Drinc-dreif

Punt o ddirwy gafodd William Davies o Benrhydliniog, Pwllheli am 'fod yn feddw tra yn gofalu am geffyl a throl ym Moduan ... yn rhy feddw i allu dadlwytho'.

Rhoddwyd dirwy o 5 swllt ar Richard Edwards gan Lys Caernarfon am iddo 'fod yn feddw yn y dref a cherbyd a cheffyl yn ei ofal'. Bu Edwards yn y llys am droseddau cyffelyb deirgwaith yn flaenorol.

Damweiniau

Yn nes adref, cyhuddwyd Sam Baum (1883-1937) o Drefor am reidio beic heb olau. Canlyniad y drosedd oedd iddo fynd ar draws Richard Williams, gwas Bronmïod, a gerddai i fyny'r allt am Lanaelhaearn. Cafodd Sam ddirwy o swllt yn unig, gan i'r ynadon trugarog deimlo ei fod wedi dioddef digon eisoes o'r anafiadau a gafodd.

Ddechrau'r flwyddyn cyhuddwyd Dr. E.Parry Edwards, Caernarfon, o fod heb olau ôl ar ei gar modur, ac yn Ebrill cyhuddwyd Griffith Jones, Chwilog, o deithio heb docyn ar y trên o Bant-glas i Langybi. Yr un modd Hugh Owen o Bwllheli am deithio heb dalu ar y trên o Ben-y-groes i Langybi.

Ceid amrywiaeth dda o droseddau, felly, ar ein ffyrdd a'n rheilffyrdd. Yn wir, cafodd Owen Jones, Pwllheli, ei anfon i garchar am dri mis gyda llafur caled am 'ladrata pot yn cynnwys saith bwys o ymenyn o gerbyd Mr. John Williams (cariwr), Llithfaen'.

Ar nodyn mwy difrifol, bu farw Owen Owen, cigydd y Bontnewydd, wedi i drelar wrth dîn tracsion fynd dros ei goes. Rhaid oedd torri ei goes ymaith, ond 'bu farw ar ôl dod ato'i hun ar ôl y cloroffom'.

6.

RHAID CAEL BWS

Ymddengys mai'r flwyddyn allweddol yn hanes y bysus lleol oedd 1909 pryd yr adroddwyd fel hyn yn yr *Herald Cymraeg* (16 Chwefror) dan newyddion Llanaelhaearn:

'Mae siarad mawr o blaid cael gwasanaeth cerbyd motor rhwng Trefor a Phwllheli a Chaernarfon. Beth ddaw ohono tybed?'

Felly, yn Nhrefor y cafwyd y dyhead cychwynnol, yn Nhrefor yr heuwyd yr had cyntaf, er mai yng Nghlynnog, yn ôl pob tystiolaeth, y cafwyd y symudiadau cyntaf. Rhyngddynt, fodd bynnag, gellir dweud bod yr enw 'Clynnog & Trefor' yn enw addas a theg i'r Cwmni pan y'i ffurfiwyd.

Roedd bws Orion y Cambrian Railways eisoes yn cludo teithwyr o Bwllheli i Nefyn ac yn ôl ers tair blynedd, hynny'n sicr yn codi awch ar drigolion bro'r Eifl i gael eu 'omnibus' hwythau.

Y moto cyntaf

Yn *Atlas Sir Gaernarfon* (cyhoeddwyd 1954) ceir pennod a map dan y teitl Bwsiau Cynnar (tt.76/77). Ynddi dywed yr awduron, Emyr Hywel Owen ac Elfed Thomas, 'fod y bws petrol cyntaf yn y sir' wedi rhedeg 'o dref Caernarfon i Ddinas Dinlle ... yn y flwyddyn 1909; yn ddiweddarach yr un flwyddyn, fe redodd yr un bws o Gaernarfon i Lanaelhaearn bob dydd, a chyn belled â Phwllheli bob diwrnod marchnad yn y dref honno'. Ychwanegant fod gan y bws hwnnw 'olwynion pren gyda tyres o rwber tew ... a lampau yn cael eu goleuo ag olew'.

Mae peth ansicrwydd ynglŷn â chywirdeb y dyddiad uchod (1909) oherwydd ni sefydlwyd y Caernarfon Motor Company tan y flwyddyn ddilynol (1910). Gallesid, wrth gwrs, fod wedi cael gwasanaeth bws i Ddinas Dinlle cyn sefydlu'r cwmni'n ffurfiol.

Y Moto Glas

Fodd bynnag, fe wyddom mai un bws yn unig oedd gan y cwmni, bws o liw gwyrdd. Yn ôl y drefn liwgar Gymreig, yn union fel y gelwir 'gwellt gwyrdd' yn 'wellt glas' neu'n 'laswellt' yn Gymraeg, fe enwyd y bws 'gwyrdd' hwn yntau'n 'Foto Glas' gan werin gwlad.

Mae'n ddiddorol sylwi bod dau o gyfarwyddwyr y Caernarfon Motor Company yn byw ym mhlwyf Llanaelhaearn, sef John Hughes, Brynarlais ac Augustus Henry Wheeler, Plas yr Eifl, Rheolwr y Gwaith Mawr. Yn ogystal, roedd un o glercod y Gwaith, Robert Gapper, yn gyfranddaliwr yn y Cwmni.

Ym 1910 rhedai'r Moto Glas o Gaernarfon i Bwllheli bob dydd Mercher (diwrnod marchnad) ac o Gaernarfon i Lanaelhaearn yn ddyddiol (ac eithrio'r Sul). Cedwid y bws mewn garej bwrpasol yng Nglan-rhyd, Llanaelhaearn. Condyctor y Moto Glas hwn oedd William, mab William Williams, Glan-rhyd. Fe'i penodwyd oherwydd iddo golli'i fywoliaeth fel cariwr pan ddaeth y gwasanaeth bws modur yn weithredol. Ymddengys bod hyn yn arferiad pur gyffredin ymysg y cwmnïau cynnar.

Gwasanaeth annigonol

Nid oedd gwasanaeth y Moto Glas yn plesio trigolion pentref Trefor rhyw lawer a hynny oherwydd mai gwasanaeth anwadal a phur annibynadwy oedd o. Yn aml iawn, ni fyddai'r gyrrwr yn trafferthu troi trwyn y bws ym Mhenlôn i lawr am Drefor, hynny'n gadael teithwyr anfoddog a blin iawn i dorri ewyn ar Ben Hendra. Roedd hyn yn arbennig o wir pan fyddai'r bws yn llawn. Y gwir amdani oedd nad oedd yna unrhyw reidrwydd ar yrrwr y Moto Glas i ddod i lawr i Drefor gan mai Penlôn yn unig oedd y stop swyddogol rhwng Gurn Goch a Llanaelhaearn. Goddefiad llwyr oedd picio i lawr i Drefor ambell ddiwrnod gwlyb. Efallai bod bwrw llid ar y Moto Glas yn ffordd o fwrw llid chwarelwyr yr Eifl ar Augustus Wheeler ('Whilar Mawr') gan fod hwnnw yn feistr cas anghyffredin.

Gwireddu'r breuddwyd

Pa ryfedd, felly, bod teimladau cryfion dros gael eu gwasanaeth bws eu hunain yn cyniwair ymysg trigolion y ddau blwyf?

Oedd, mi roedd yna 'siarad mawr' o blaid cael gwasanaeth cerbyd modur wedi bod yn yr ardal ers tair neu bedair blynedd. Bellach, daeth yn amser gweithredu. Digon yw digon ar wasanaeth eilradd y Moto Glas. Mae'n *rhaid* i'r awenau fod yn ein dwylo *ni*.

Yn ariannol, bu'r Moto Glas yn llwyddiant ysgubol, felly fe wyddai hyrwyddwyr unrhyw gwmni newydd arfaethedig na fyddai sefydlu menter leol yn ormod o risg. Gellid, yn fuan iawn, trwy deyrngarwch lleol, hel y Moto Glas oddi ar y lôn a chael monopoli llwyr ar y milltiroedd rhwng Caernarfon a Phwllheli. Daeth y mater rŵan yn destun siarad ymhobman trwy'r ddau blwyf – yn y chwarel ac ar y ffermydd, a hyd yn oed ymhlith y merched â'u piseri ger y Pin Dŵr.

Wedi'r holl siarad daeth awr y gweithredu. O'r diwedd cafwyd symudiad pendant tuag at ffurfio'r cwmni bysus newydd a gwireddu breuddwyd. Galwyd cyfarfod cyhoeddus i'w gynnal yn Ysgol Ramadeg Clynnog. Bryd hynny (er 1863), a than 1929, roedd gan enwad y Methodistiaid Calfinaidd ysgol neu goleg rhagbaratoawl yng Nghlynnog, coleg oedd yn paratoi myfyrwyr ar gyfer mynd ymlaen i Goleg y Bala ac i fod yn weinidogion yr efengyl maes o law. Ambell dro gelwid y lle yn Goleg Clynnog, dro arall yn Ysgol Ramadeg, a hyd yn oed (yn gwbl amhriodol) yn Ysgol Eben Fardd, oherwydd i'w Phrifathro, Dewi Arfon, gredu rhywdro y byddai'n enw llawn rhamant ar y lle. Erbyn heddiw mae'n rhan o Ganolfan Hanes Uwchgwyrfai ac yno, yn yr union ystafell lle cynhaliwyd cyfarfod cynta'r Moto Coch naill ai yn niwedd 1911 neu ddechrau 1912, y cefais innau'r fraint, ddiwedd Chwefror 2012, o draddodi darlith ar yr hanes, gan roi, gobeithio, gychwyn hwyliog i ddathliadau cyffrous canmlwyddiant y cwmni. Yn wir, yn yr union ystafell hon y cynhaliwyd holl Gyfarfodydd Blynyddol y cwmni am dros dri chwarter canrif cyntaf ei hanes.

Hywel Tudur

Llywydd y cyfarfod arbennig hwn, cyfarfod lansio'r syniad o gael cwmni bysus yn y fro, a gynhaliwyd yn yr Ysgol Ramadeg, oedd y Parchedig Howell Roberts, gweinidog Y Methodistiaid Calfinaidd yn y Capel Uchaf a Seion, Gurn Goch, gŵr o athrylith a adwaenid fel Hywel Tudur (1840-1922). Yn ôl Catrin Pari Huws, Bryscyni Uchaf, yn ei llyfr

Sul, Gŵyl a Gwaith, Hywel Tudur oedd 'prif ysgogwr Cwmni Moduron Clynnog & Trefor Cyf., neu'r Moto Coch, cwmni sydd yn eiddo i drigolion y cylch'.

Ganwyd Hywel Tudur ym Mlaenau Llangernyw a'i fagu ym Mhandy Tudur, Sir Ddinbych. Bwriodd dymor yng Ngholeg Hyfforddi Caernarfon cyn mynd i gadw ysgol yn Llanllyfni. Ymsefydlodd yng Nghlynnog er mwyn cael dod i adnabod, a chael bod mewn cyrraedd, ei eilun, Ebenezer Thomas (Eben Fardd). Fe'i hordeiniwyd yn weinidog yn Awst 1881 ac yntau dros ei ddeugain oed. Yn ogystal â gofalu am ei ddwy eglwys ym mhlwyf Clynnog, bu'n ffarmio rhywfaint yn Hafod y Wern, a merch fanno, Margaret Jane, oedd ei wraig gyntaf (fe'u priodwyd ym 1863, blwyddyn marw Eben Fardd), a chawsant bump o blant.

Hywel Tudur, prif symbylydd sefydlu'r cwmni ym 1912, yn sefyll o flaen ei dŷ, Bryn Eisteddfod yng Nghlynnog Fawr

Ei brif ddiddordeb oedd gwyddor hedfan, ac fe ddyfeisiodd bropelar gan anfon ei gynllun at arbenigwyr y swyddfa batent yn Llundain bell. Hyn yn Hydref 1916 – 'a propellor or Driving Wheel to put in motion vehicles, boats and flying machines'.

Cynlluniodd a chododd dŷ iddo'i hun, tŷ sydd heddiw'n westy cysurus, Bryn Eisteddfod, led cae o'r hen Ysgol Ramadeg. Fo hefyd, ar y cyd â William Jones, Bryn Gwydion, fu'n gyfrifol am gasglu, golygu a chyhoeddi *Holl Weithiau Eben Fardd* (1873?) a *Tlysau Beuno* (1902).

Bu farw Margaret Jane, gwraig Hywel Tudur, yn gymharol ieuanc yn fuan wedi i un o'u plant, David John, farw'n ddeuddeg oed. Ailbriododd, ac fel yntau, roedd ei ail wraig yn frodor o Bandy Tudur. Roedd yn chwaer i Dewi Williams, awdur y clasur hwnnw, *Clawdd Terfyn*, gweinidog eglwys Ebenezer (M.C.), Clynnog, a Phennaeth Ysgol Ramadeg Clynnog am dros ugain mlynedd.

Bu farw Hywel Tudur, prif symbylydd y Moto Coch, ar y 3ydd o Fehefin 1922 ac fe'i claddwyd ym mynwent eglwys Clynnog. Nid oes carreg yn nodi'r fan. Ond diolch i garedigion o ardal Clynnog a thu hwnt, nis anghofiwyd.

Ar ddydd Sadwrn y 6ed o Orffennaf, 1991, cynhaliwyd cyfarfod arbennig yng Nghapel Uchaf dan lywyddiaeth y Parchedig Harri Parri. Yno, ar fur gorllewinol y capel, dadorchuddiwyd cofeb ar ffurf plac i gofio Hywel Tudur, cofeb y talwyd amdani gan Catrin Pari Huws. Fe'i dadorchuddiwyd gan Ieuan Russell Hughes, Llangefni, gor-ŵyr Hywel Tudur ac arni cofnodwyd y ddau wirionedd hyn:

'Un garai pawb, a gŵr pur;
Llon weinidog, llên awdur.'
'Rhoddodd drefn ar ei gae
ac adeiladodd ei dŷ.'

Yn y flwyddyn 2000 daeth yr achos yng Nghapel Uchaf i ben a dymchwelwyd y capel. Mae'r gofeb, fodd bynnag (fel cofeb y digymar Robert Roberts, 'Y Seraff o Glynnog', yntau), yn gwbl ddiogel ar fur yr hen Ysgol Ramadeg gynt lle cynhaliwyd cyfarfodydd sefydlu ei annwyl Foto Coch.

7.

Y MOTO COCH

Ond yn ôl at y cyfarfod cychwynnol hwnnw yng Nghlynnog. Cafwyd brwdfrydedd mawr yno, ac roedd yn gwbl eglur bod yna awydd angerddol yn yr ardal, trwy anogaeth daer Hywel Tudur ac eraill, am gael sefydlu cwmni bysus fyddai'n eiddo i bobl y fro.

Cafwyd pleidlais unfrydol yr ardalwyr, pleidlais roddai'r go-ahéd i ffurfio cwmni newydd fyddai, yn y man, yn prynu bws er gwasanaeth teithwyr rhwng Caernarfon a Phwllheli, yn hel y Moto Glas oddi ar y lôn, ac a fyddai, nid yn unig yn gyfleustod heb ei ail, ond hefyd yn addurn ac yn falchder i'r gymdeithas, yn elw ariannol i'w gefnogwyr, ac yn arwydd gweledol o fenter a chydweithrediad pobl y cwmwd.

Richard R.Jones, ysgolfeistr Clynnog Fawr ac Ysgrifennydd mygedol cynta'r Moto Coch 1912-20

Sefydlu cwmni swyddogol

Symudwyd yn gyflym eithriadol dan arweiniad Hywel Tudur, a phenodwyd Richard R. Jones, ysgolfeistr Clynnog Fawr o 1900 tan tua 1927, yn ysgrifennydd y fenter. Fe'i hawdurdodwyd i geisio gwybodaeth ar sut i symud ymlaen i ffurfio cwmni a phwrcasu bws.

Mae'n amlwg iddo wneud ei waith yn ddiymdroi ac yn drwyadl, oherwydd galwyd cyfarfod arall yn fuan, ac yno penderfynwyd ffurfio cwmni a'i gofrestru'n briodol, cwmni gyda chyfalaf o £1,000 i'w werthu'n 2,000 o gyfranddaliadau 10 swllt yr un. Etholwyd Richard Jones yn ysgrifennydd parhaol a llanwodd y swydd yn gampus am nifer dda o flynyddoedd.

Dywedid mai pur gyndyn i dyrchu i'w llogellau oedd ffermwyr Clynnog ar y cychwyn – ond hen stori pobol Trefor ydi honna! Hyn a wyddom, yn rhan o dystiolaeth gŵr a oedd yno ar y cychwyn, sef y bardd o Drefor, William Roberts ('Gwilym Ceiri'), awdur un o englynion gorau'r Gymraeg, Y Pistyll, englyn yr hoffa llawer weld y pistyll fel trosiad o'r efengyl Gristionogol. Oni ellir, tybed, weld y pistyll hefyd fel trosiad o'r Moto Coch – yn dal i redeg atom?

'Bu Nain, a bu nain honno – â'i phiser
   Henffasiwn o tano;
   Er rhoi fel hyn er cyn co'
   Rhed atom yn rhad eto'.

Meddai William Roberts:

'Bu rhwyddineb mawr ar gael ymadael â'r siariau. Yr

Y llun enwocaf o'r Commer (CC553), 1912, ar Faes Caernarfon, ac adeiladau'r Pater Noster yn fawreddog yn y cefndir. O.H.Owen yw'r gyrrwr, a John Thomas, Bryn Coch, yw'r condyctor

oedd y rhan helaethaf o'r cyfalaf wrth enwau cannoedd o'r ardalwyr cyn pen ychydig ddyddiau.'

Clynnog & Trefor

Cofrestrwyd y cwmni newydd yn gyfreithiol – 'Clynnog & Trevor Motor Company Ltd.', a hynny ar y 26ain o Ebrill 1912. Bythefnos yn ddiweddarach hysbysebwyd am yrrwr. A allwn ni, felly, gymryd bod y bws cyntaf eisoes wedi'i brynu erbyn hynny? Commer gyriant-cadwyn oedd y bws cyntaf hwnnw gydag olwynion teiars rwber caled. Roedd sedd y gyrrwr yn agored i bob tywydd, ac roedd ei ddrws ar ganol ochr chwith y cerbyd. Ei rif cofrestru oedd CC553.

Daeth y llun ohono'n sefyll mewn balchder ar y Maes yng Nghaernarfon yn eiconig yn yr ardaloedd hyn, gyda'r gyrrwr wrth y llyw a'r condyctor yn sefyll yn ei legins ar risiau'r cerbyd, ac adeilad mawreddog y Pater Noster yn gefnlen addas i'r fath ryfeddod.

Y gyrrwr cyntaf un

Owen Humphrey Owen, gyrrwr cynta'r Moto Coch 1912-19

Owen Humphrey Owen, Llain Las, Rhos-fawr ger Y Ffôr, oedd y gyrrwr (a mecanic) cyflogedig cyntaf hwn, a bu'n yrrwr ffyddlon a gofalus i'r Moto Coch am saith mlynedd cynta'r cwmni. Priododd â Maggie Roberts, a ganwyd iddynt dri o blant – Nell (Tyddyn Coch), Jim (Gwynfryn) a Megan (Tir Du/Neuadd Lwyd). Daeth yn aelod a thrysorydd ym

Methania'r Bedyddwyr. Collodd ei briod ym 1936 yn 44 oed, a bu yntau farw ym 1938 yn 51 oed.

Gadawodd y Moto Coch ym 1919 pryd y partnerodd â William Williams, gyrrwr y Moto Glas, i brynu lorri Daimler a dechrau busnes cario cerrig metlin o'r Gwaith Mawr i fod yn sylfeini i ffyrdd newydd Sir Gaernarfon. Daeth lorïau O.H. Owen a'i Fab yn adnabyddus drwy holl siroedd y gogledd maes o law, a bu'n fusnes hynod o lwyddiannus dan ofal ei fab, James (Jim) Owen. Mae'r garej yng ngwaelod Ffordd yr Eifl yn Nhrefor yn dal yn brysur er i'r lorïau ddiflannu gyda diwedd y Gwaith Mawr ddechrau'r saithdegau. Huw Owen, ŵyr O.H. Owen, sydd yn y garej heddiw yn cadw busnes trwsio ceir llewyrchus.

Y condyctor cyntaf

Rhoddwyd y swydd o gondyctor i John Thomas, Bryn Coch, Trefor, yn rhyw fath o iawn am iddo golli ei

Y Commer, y bws cyntaf, rhywle ger Penlôn Trefor, gydag O.H.Owen y gyrrwr a John Thomas y condyctor.

fywoliaeth fel cariwr gyda dyfodiad y gwasanaeth bws newydd.

Efallai y gellid dadlau mai yn anfoddog y plygodd John Thomas i'r drefn newydd ac i'w fab geisio talu'r pwyth yn ôl yn ddiweddarach trwy sefydlu cwmni bysus y Trefor Blue ym Mryn Coch.

Garej

Wedi i'r Cwmni brynu bws roedd yn rhaid cael rhywle diogel i'w gadw. Cafwyd caniatâd parod Griffith Davies, Maesyneuadd, Trefor, i'w gadw ar iard y fferm honno. Ar y pryd doedd yna neb yn byw yn yr hen ffermdy lle cododd Annibynwyr y fro eu pabell gynta'n y plwyf ddiwedd y ddeunawfed ganrif pan drigai Owen a Sidney Jones yno.

Roedd eu plant hwy, y prydyddion Siôn Owen (Jones) a Sydna (Barddones Arfon) wedi'u claddu ers ymhell dros chwarter canrif. Ac roedd Griffith Davies yntau'n byw mewn tŷ moel, Gorffwysfa, rhyw ganllath go dda i lawr y lôn.

Rhyw islais cwynfanllyd geir gan Je Aitsh (J.H. Jones), golygydd *Y Brython*, yn ei gyfrol *Moelystota*. Roedd ei dad yn un o feibion Maesyneuadd, a phan ymwelodd Je Aitsh â 'hen gartref fy nhad' yn y cyfnod rhwng y ddau ryfel byd, gwelodd fod y lle 'bellach yn weithdy saer, a'r hen fuarth a'r winllan eirin a 'falau wedi ei throi'n gadwrfa moduron a siarabanciau, a drygsawr y petrol wedi disodli perarogl y berllan …'

Codwyd garej y Moto Coch yn yr union fan lle codwyd ffermdy newydd Maesyneuadd flynyddoedd yn ddiweddarach, wrth dalcen gogleddol yr hen dŷ. Roedd hon yn garej oedd yn ddigon helaeth i gartrefu tri bws. Anfantais fawr y safle oedd na cheid yno gyflenwad o ddŵr a rhaid oedd cario pob diferyn angenrheidiol o'r afon rochor isa i'r gadlas. Ym Maesyneuadd y cartrefwyd y Moto Coch am

Maesyneuadd: rhan o iard y ffarm lle roedd garej gynta'r Moto Coch
1912-32 cyn codi'r tŷ newydd ar y chwith. Yn yr hen ffermdy a welir ar y
dde y dechreuodd achos yr Annibynwyr yn Nhrefor
ddiwedd y ddeunawfed ganrif

ugain mlynedd cynta'i oes.

Ganrif union ynghynt, mae'n ddiddorol sylwi, codwyd adeilad arall ar dir Maesyneuadd, sef capel cyntaf ardal yr Hendre (yr hen enw ar ran isaf plwyf Llanaelhaearn), a'i alw'n Bethlehem. Yr Annibynwyr, a addolent cyn hynny yn hen dŷ Owen a Sidney Jones ym Maesyneuadd, a'i cododd ym 1812. A fydd dathlu'r dau canmlwyddiant hwn eleni, tybed?

8.

DECHRAU TEITHIO

Dydd o lawen chwedl, yn wir, ym mhentrefi Clynnog a Threfor oedd yr 21ain o Orffennaf, 1912, diwrnod 'lansio'r' Moto Coch. Caed cryn ymgiprys am le ar y daith gynta honno, gyda'r bws dan ei sang yn gadael Trefor ar ei daith gyntaf i Gaernarfon. Doedd yna ddim lle o gwbl i bobl Clynnog pan duthiodd y Commer i'r pentref, ond

Y Commer, y bws cyntaf, yng Nghlynnog ac ar ei ffordd i Gaernarfon.

datryswyd y broblem trwy i hanner y teithwyr o Drefor adael y bws a cherdded y tair milltir yn eu holau adref. Nid bod hynny'n eu plesio, cofiwch!

Sonia Catrin Pari Huws am ei thad oedd yn un o gyfranddalwyr cynta'r Moto Coch, 'ynghyd â llu o ardal Trefor, Clynnog, Capel Uchaf a Brynaerau. Dywedodd fy mam eu bod hwythau'r gwragedd wedi cael mynd ar y daith gyntaf hyd nes yr oedd yr hen foto coch druan wedi cael ei orlenwi. Ar y daith bwysig honno dywedodd Modryb Ann,

'Feddyliais i erioed y buaswn yn cael mynd i'r dre mewn car gwyllt'. Er, mae'n debyg, fod aml hen ferlyn wedi mynd yn llawn sioncach na'r moto coch cyntaf gyda'i deiars caled a'r gorlwytho.'

Er gwaetha'r gorlwytho a phob rhyw aflwydd arall, bu gwasanaeth y Moto Coch o'r cychwyn cyntaf un yn llwyddiant ysgubol. Dyna'n wir fu ei hanes gydol y ganrif gyntaf hon, er gwaethaf troeon yr yrfa a phob rhyw elyniaeth.

Y Cyfarfod Blynyddol

Lai na thri mis yn ddiweddarach, cynhaliwyd Cyfarfod Blynyddol cynta'r cwmni yn yr Ysgol Ramadeg yng Nghlynnog ar yr 11eg o Hydref, 1912, dan gadeiryddiaeth A. Williams, Brynaerau. Yno cafwyd adroddiad calonogol dros ben gan Richard Jones, Ysgrifennydd y cwmni. Mewn gair, roedd 'mynd mawr' ar y Moto Coch, a'r cyfan eisoes yn talu'i ffordd yn ardderchog. O'r cychwyn cyntaf, magodd a meithrinodd y cwmni ryw *rapport*, rhyw deyrngarwch a pherthynas rhyfeddol â'i bobl, a mynych y clywid trigolion yr ardal yn cyfeirio ato fel ein 'moto ni'.

Byddai'r Cyfarfod Blynyddol yn ddigwyddiad o bwys yng nghalendr y cyfnod cynnar a phobl yn tyrru iddo, yn arbennig o'r ddau bentref. Ac fel y gallesid disgwyl roedd yna gludiant am ddim cyfleus i'w gael. Roedd W.J. Thomas, cyn-olygydd *Y Goleuad*, gweinidog yn y Felinheli at ddiwedd ei yrfa, a brodor o Frynaerau, yn un o fyfyrwyr Coleg Clynnog yn ystod y dauddegau, ac fel hyn y mae'n sôn am y peth yn ei lyfr, *Y Cryman Medi*, (1975):

'Gan fy mod yn sôn am yr ysgol, yno hefyd y cynhelid Noson Flynyddol Cwmni'r Motor Coch, a byddai honno'n noson lawn hefyd. Gan y byddai'r Cyfranddalwyr yno, cyflwynid cyfrifon y flwyddyn a phasio penderfyniadau. Byddai pawb yn cael teithio ar y modur *am ddim* y noson honno, a byddai ganddo lwyth trwm. Yn un o'r cyfarfodydd hyn, codwyd cwyn bod gorlwytho'r cerbydau ar adegau neilltuol. Wedi cryn drafod, penderfynwyd yn unfrydol bod yn rhaid dileu'r arfer ar unwaith. Y noson honno, yr oedd y cerbyd yn llawn o'r tu mewn a rhai'n sefyll. Hynny a allai eistedd ar ei ben y tu allan, a phob un a allai grafangu yn hongian wrtho!! Rhyfedd yr hyn a ddigwydd i benderfyniadau pwyllgor!'

Lloerig?

Yn ei ddyddiau cynnar roedd gan y Moto Coch ffordd ryfeddol o bennu dyddiad ar gyfer cynnal ei Gyfarfod Blynyddol yn Ysgol Ramadeg Clynnog. Gadawaf i John Hughes, Cadeirydd Cyfarwyddwyr y Cwmni ym 1962, adrodd yr hanes.

'Yr hyn a benderfynai'r dyddiad i gynnal y cyfarfod blynyddol ydoedd oed y lleuad, a hynny mae'n debyg i alluogi'r cyfranddalwyr mentrus i gyrraedd adre'n ddiogel, beth bynnag am ddiogelwch eu siâr gyda'r Cwmni. Bu'r arferiad hwn mewn grym am flynyddoedd lawer, ac yn ffodus iawn byddai hen frawd yn y cyfarfod a chanddo Almanac Robert Roberts, Caergybi, wedi ei daro ym mhoced ei gesail a phob manylion am y lleuad yn hwnnw. Yna wedi glanhau tipyn ar ei sbectol a chraffu dan lewyrch lamp olew pur ddiffygiol, yn nodi'r noson mor agos i'r lleuad lawn ag oedd bosibl, a gofalu nad oedd y dyddiad yn disgyn ar noson seiat yn ei gapel ef. Dyna fyddai ei gyfraniad pennaf yn ystod blwyddyn ei swyddogaeth, a theimlai ei fod wedi gwneud ei ran.'

Roedd swyddogion a chyfarwyddwyr y Cwmni – a'r cyfranddalwyr, bid siŵr – gymaint o ddifrif ynglŷn â'r holl fenter, a'u bryd, heb os, ar ehangu'r busnes trwy ennyn rhagor o fuddsoddiadau er mwyn cael prynu bws arall yn fuan. Y cyfarwyddwyr cyntaf hyn oedd A.Williams, Brynaerau ('gentleman'), Hugh Owen, Penarth (amaethwr), Y Parchedig Howell Roberts (Hywel Tudur), Owen Williams (saer coed), ? Roberts (setsmon), William Williams (chwarelwr), Morris Parry (amaethwr) a D.O. Jones (setsmon).

Trip Ysgol Sul

Gwyddom i sicrwydd mai ar yr 21ain o Orffennaf, 1912, y cafwyd taith gynta'r Moto Coch, o Drefor i Gaernarfon.

Aelodau Ysgol Sul Ebenezer (MC), Clynnog Fawr, ar gychwyn ar eu gwibdaith flynyddol i'r Rhyl ym Mehefin 1925. Llawer mwy na llond bws, ddwedwn i!

Ond pryd, tybed, y cafwyd y 'sgyrsion' cyntaf, y trip neu'r 'bleserdaith', ddaeth mor boblogaidd wedi dyfodiad y bysus modur? Mae'n eitha tebygol mai trip Ysgol Sul plant Bethel (M.C.), Pen-y-groes, gafodd y fraint honno, dair wythnos go dda wedi'r daith gyntaf un, ac mai Bwlch Llanberis oedd y gyrchfan. Dyma adroddiad o'r achlysur fel yr ymddangosodd yn yr *Herald Cymraeg*, 20 Awst 1912:

> 'Bore ddydd Iau (15 Awst) daeth cerbydau motor Clynnog a Rhostryfan i Benygroes i gyrchu plant Bethel i'w cludo o amgylch y Pass. Er i'r hin beidio bod yn deg, cafwyd taith bleserus a'r plant fel 'byddigions bach' yn y cerbydau heirdd.'

Lladron-pen-ffordd

Bwgan penna'r Moto Coch yn y blynyddoedd cynnar, yn ddiamau, oedd y Moto Glas (y Caernarfon Motors), a 'bu galed y bygylu' rhyngddynt am ffafrau'r teithwyr. Yn fuan gwelodd y Moto Glas fod teyrngarwch pobol Moto Ni i'w cwmni yn ddiwyro, yn ddigyfaddawd ac yn anorchfygol. Ni ellid yn dragywydd drechu'r Moto Coch.

Er iddo ostwng ei brisiau i geisio lladd ei wrthwynebydd, cilio o'r maes fu hanes y Moto Glas. Yn ddiweddarach fe'i prynwyd gan gwmni arall a hwnnw, maes o law, yn ei werthu i'r 'llyffant mawr gwyrdd', y *juggernaut* barus, cwmni'r Crosville a ddaeth, yn ei dro, yn elyn marwol, a llawer ffyrnicach na'r hen Foto Glas, i'r Moto Coch.

Goleuni a thywyllwch

Yn y cyfamser, wedi rhagor na blwyddyn o fasnachu'n hynod lwyddiannus, cynhaliodd y Clynnog & Trevor Motor

Company Ltd. ei ail Gyfarfod Blynyddol yn Ysgol Ramadeg Clynnog.

Dyma pryd yr etholwyd Hywel Tudur yn Gadeirydd. Yn y cyfarfod hwn penderfynwyd talu llog o 15%, ynghyd â bonws o 15%, a'r cyfan yn ddi-dreth. Penderfynwyd hefyd ehangu'r gwasanaeth yn sylweddol trwy brynu bws arall. I allu gwneud hynny, roedd yn rhaid cael rhagor o arian, ac i gyfarfod â'r draul pasiwyd cynnig i gynyddu cyfalaf y Cwmni o fil o bunnau i £1,500, sef 3,000 o gyfranddaliadau chweugain (10 swllt) yr un.

Cynhaliwyd nifer o gyfarfodydd cyhoeddus hwnt ac yma yn yr ardal i geisio darbwyllo pobl i fuddsoddi, ond ni ellir dweud iddynt fod yn llwyddiannus iawn. Mor ddiweddar â 1924 roedd y Cwmni'n dal 317 o gyfranddaliadau'n brin o'r 3,000 oedd ar gael. Dechreuwyd sylweddoli nad oedd cynnal gwasanaeth bysus yn fêl i gyd, yn arbennig pan geid cystadleuaeth ddigon mileinig o du cwmni arall. Pylodd peth o'r rhamant cychwynnol.

Adfyd rhyfel

Cafwyd rhagor o drafferthion, ac nid y lleiaf o'r rhain oedd y Rhyfel Byd Cyntaf (1914-18). Caewyd y chwareli dros gyfnodau maith a daeth cryn dlodi i'r fro. Gorfodwyd y rhan fwyaf o'r gwŷr ifainc i ymuno â'r lluoedd arfog a gadael cartref. Yn ogystal, bu'n rhaid i nifer helaeth o'r gweithwyr hŷn fynd i ffwrdd i weithio, naill ai ynglŷn â darpariadau'r rhyfel, neu mewn chwareli cyffelyb oedd yn dal i weithio. Effeithiodd hyn er gwaeth ar ffyniant y Moto Coch.

Dirywiodd ansawdd a chysondeb y gwasanaeth ei hun hefyd. Byddai'r bysus yn aml yn segur ar iard Maesyneuadd gan ei bod hi'n andros o anodd cael darnau sbâr ar gyfer trwsio'r cerbydau yn ystod blynyddoedd y rhyfel. Os gallai band y pentref fodloni ar gŵyr crydd i drwsio'u cyrn band, thâl hi ddim i drwsio Commer y Moto Coch â'r fath stwff!

Yn ystod blynyddoedd y rhyfel hefyd cafwyd dogni ar betrol. Yn wir, torrwyd swm y petrol a ganiateid i hanner yr hyn oedd cyn y rhyfel. Tua diwedd 1915 daeth gwaharddiad i rym, sef nad oedd hawl rhedeg bws lle ceid eisoes wasanaeth trên. Bu hyn, os rhywbeth, o fantais i'r Moto Coch.

Er gwaetha'r holl anawsterau hyn, daeth y Moto Coch drwy flynyddoedd y rhyfel yn gymharol ddianaf, y diolch am hynny i ddycnwch a dyfalbarhad y gweithwyr a theyrngarwch di-ildio'r cyfarwyddwyr, heb anghofio ffyddlondeb di-syfl y teithwyr cyffredin. Yn wir, cafwyd elw pur dda ar y cyfan a llwyddwyd i dalu 12½% o log ym 1916, 7½% ym 1917, ac 20% ym 1918. Cryn orchest, yn wir, dan amgylchiadau mor anodd. Roedd Moto Ni bellach â'i drwyn am baradwys a bri.

Gwawr newydd?

Wedi'r heddwch ym 1918, daeth bywyd newydd i'r fro a gwelwyd ailgydio yng nghyrn yr erydr diwylliannol a chrefyddol. Cafwyd bri mawr ar gymdeithasau o bob math, o'r llenyddol i'r corawl, y ddrama a'r carnifal, y band a'r bêl-droed. Cafwyd neuadd bentref newydd yn Nhrefor, ynghyd â neuadd biliards, lawnt bowlio, cyrtiau tenis a chae pêl-droed. A daeth y Moto Coch yntau o dywyllwch trist y Rhyfel Mawr i lewyrch gwell y dauddegau. Roedd yn gyfnod newydd.

9.

WEDI'R DRIN

Bu dauddegau'r ganrif ddiwethaf yn gyfnod cyffrous ar lawer gwastad yn hanes yr ardal hon. Cafwyd cyfnod llewyrchus dros ben yn hanes y Gwaith Mawr, yn ogystal â'r gweithfeydd llai ar y Gurn Ddu a thu hwnt i'r Eifl. Yn dilyn dyddiau duon echrydus y Rhyfel Mawr daeth rhyw asbri newydd, yn economaidd a diwylliannol, i fywyd ein bröydd, ac yn unman yn fwy felly nag yn hanes y Moto Coch a 'bysus bach y wlad' yn gyffredinol.

Caed yr argraff fod popeth yn symud yn gyflymach, yn llythrennol a throsiadol. Er holl brofedigaethau personol a chymdeithasol y rhyfel, teimlwyd fod yna rhyw ddalen newydd lân wedi ymddangos, dalen oedd i'w llenwi â mawrion weithredoedd. A daeth pobl i deithio llawer mwy, gyda nos Sadwrn yn noson o gyrchu am y trefi a'u tafarndai a'u sinemâu.

Daeth teithio'n brofiad brafiach o lawer na chynt, yn fwy cyfforddus ac yn gyflymach. Cyn y rhyfel rhyw 8-12 milltir yr awr oedd cyfartaledd cyflymder y Moto Coch a phob bws arall, ond gyda chryfach peiriannau a theiars aer (o ganol y dauddegau) daeth tro ar fyd. Symudai'r bysus yn gyflymach ac yn llawer esmwythach gan fod y Cyngor Sir yn gwario'n helaeth ar wella'r ffyrdd, a rhoi wyneb tarmacadam ar y rhai mwyaf prysur, gan gynnwys rhannau helaeth o'r ffordd o Gaernarfon i Bwllheli.

Maes Caernarfon

Roedd Maes Caernarfon yn fwrlwm anhygoel o fysus y cwmnïau bychain, yn cario teithwyr i bob cwr o'r sir. Mewn erthygl hynod o ddiddorol yn *Lleu*, papur bro Dyffryn Nantlle, rai blynyddoedd yn ôl, mae Jac Williams yn cofio'r fflyd fawr o fysus a lanwai'r Maes yn ystod blynyddoedd y dauddegau.

'Modur Ford T Model oedd y mwyafrif o'r rhain ar y dechrau, ond fel yr elai amser ymlaen a'r busnes yn cynyddu, byddai'r perchnogion yn eu newid am gerbyd mwy a gwell, a daeth amryw o enwau ar lafar nad oeddym ni'r plant erioed wedi eu clywed o'r blaen sef – Dennis, Chevrolet, Leyland, Thornycroft, Dodge, Reo, Maudslay, Daimler ac yn y blaen.'

Nid yn unig mae'n cofio'r mathau o fysus a welid ar y Maes bryd hynny, ond mae hefyd yn enwi nifer dda o'r cwmnïau oedd yn berchen ar y bysus hynny: 'Express Motors (Owen Owens), Tryfan Rangers (Hugh Jones), Mountain Ranger (Johnnie Bryn Awelon), Dixie Bus (Dafydd Jones, Garnedd), bws Owen Elias (O.E. Hughes, Rhosgadfan), Silver Star (J.Ivor Jones) ... bws Bob John, Ael-y-bryn, i Garmel trwy Rhos Isa a'r Bryn, John Hughes, Carmel, o Gaernarfon i Garmel trwy'r Groeslon. Teithiai'r Caernarfon Motors a'r Clynnog & Trefor i Bwllheli ... yr oedd monopoli Dyffryn Nantlle gan Mrs Evans Lliod gyda'r Seiont Motors ... un arall a gofiaf yn dda oedd George Coed Brain, Rhostryfan, yn rhedeg bws o Gaernarfon i Ddinas Dinlle trwy Lanfaglan a Saron ... yr oedd cwmnïau eraill yn teithio i gyfeiriadau eraill o'r Maes, sef D. Motors, Llanrug-Llanberis, L.J. Motors i'r Ceunant, Rhiwen Motors – Deiniolen, Peris Motors – Humphreys Bethel, Bangor Blue (U.N.U. – You Need Us), Busy Bee – W.S. Jones, Beddgelert, Whiteways – Waunfawr ...'

Ac ar y Maes ym Mhwllheli hefyd ceid nifer dda, er nad cymaint o bell ffordd, o gwmnïau bychain lleol a gariai deithwyr i bob cwr o Lŷn ac Eifionydd, heb anghofio'r ffordd drwy Glynnog i Gaernarfon a'r Moto Coch.

Dyfodiad John Jones

John Thomas Jones ('John Jôs Moto Coch'), Mecanic/gyrrwr o 1921; Rheolwr 1944-63

Ym 1919 ymadawodd prif yrrwr (a mecanic) y Moto Coch, O.H.Owen, i sefydlu ei fusnes lorïau yn Nhrefor, ac yn fuan iawn dirywiodd cyflwr y ddau fws a safai yn y garej ar iard Maesyneuadd. Erbyn hyn roedd y Commer cyntaf wedi hen ymadael a'r cwmni'n berchen ar ddau Thornycroft Gyriant Cadwyn (*Chain Drive*). Roedd angen gyrrwr ar y Moto Coch ac, yn fwy na dim, gyrrwr allai hefyd weithredu fel mecanic. Ym 1921, wedi cyfnod pur sigledig, cafwyd y feri dyn i'r swydd, gŵr y daeth ef a'i fab yn ddiweddarach yn angorion cadarn i Gwmni Clynnog & Trefor am flynyddoedd maith.

Brodor o Lŷn oedd John Thomas Jones, a anwyd ym 1892 yn fab i Thomas ac Ann Jones, Neigwl Newydd, Botwnnog. Gadawodd yr ysgol yn ifanc a chael gwaith fel gwas bach i Cyrnol Gough ym Mhlas Gelliwig. Fel y gellid disgwyl, roedd gan ŵr y Plas gar modur ac roedd angen gyrrwr arno. Gwelodd yn fuan bod gan y gwas ddileit mewn moduron a pheiriannau ac fe'i hanfonodd yr holl ffordd i Gaer i gael gwersi dreifio. Dyna pryd y newidiwyd swydd-ddisgrifiad John Jones ym Mhlas Gelliwig i fod yn yrrwr/tasgmon a chyflawnai'n ogystal amryw o ddyletswyddau eitha cyfrifol.

Ar Fynydd y Rhiw gerllaw ceid gwaith manganîs pur lewyrchus ac fel y cynyddodd gwybodaeth a gallu peirianyddol y John ifanc, daeth yn amlwg na allai'r Cyrnol ei gadw'n hir ym Mhlas Gelliwig.

Ac 'i'r manganîs' yr aeth y llanc, a chan bod gan y Cwmni hwnnw ei lorïau ei hun, a'r rheini'n cael eu cynnal a'u cadw mewn garej bwrpasol ym Mhwllheli, i'r dref honno yr aeth John Jones i weithio a datblygu ei sgiliau ymhellach. Daeth yn fecanic lorïau'r Cwmni manganïs yn y garej gerllaw harbwr Pwllheli. Yn y cyfamser, dechreuodd ganlyn, ac ym 1913, priododd ferch o Lŷn, Margaret Ellen Jones, Tan-rallt, Llangïan. Ymgartrefodd y ddau, wedi'r Rhyfel Mawr, yn Erw Villa, Pen-rallt, Pwllheli.

Gwaetha'r modd, roedd cymylau duon yn crynhoi uwch cyfandir Ewrop, ac o fewn dim, ym 1914, roedd y gwledydd yn rhyfela, gan sugno gwŷr ifainc Cymru i faes y gwaed. Yno y bu John Jones yntau am gyfnod o dair blynedd, gan gredu ar y pryd, mae'n debyg, fel y gweddill o lanciau Cymru, ffiloreg Lloyd George, Kitchener, John Williams Brynsiencyn a'r Swyddfa Ryfel, bod y rhyfel erchyll hwnnw'n rhyfel fyddai'n rhoi terfyn ar bob rhyfel – hyd dragwyddoldeb.

O faes y gad i Faesyneuadd

Fo oedd y gŵr ifanc ddaeth, ym 1921, yn yrrwr/mecanic i Gwmni'r Moto Coch yn Nhrefor. Pan ddaeth i Drefor gyntaf bu John Jones yn lletya yn Nhalarfor, yng nghartref Edward (Ned) (1887-1962) a Margaret Elizabeth (Begw) Japheth (1890-1966), merch William Williams, Pen-steps. Yn fuan, fodd bynnag, cododd fynglo sinc a choed, un o nifer a godwyd yn Nhrefor yn y cyfnod rhwng y ddau ryfel byd, iddo ef a'i wraig, ar yr allt rhwng yr ysgol a Chae Cropa, a chan ei fod yn cael cip ar y môr oddi yno, fe'i galwodd yn Morwel. Ganwyd iddynt bedwar o blant – Katie (1914-94), Annie Margaret (Nansi) (1918-82), Tom (g. 1923), olynydd ei dad fel Rheolwr y cwmni, ac Aneurin (1930-1999), fu'n Ysgrifennydd y cwmni yn y pumdegau.

Ar ei ddyfodiad, gwelodd yn syth fod pethau'n edrych yn ddu, a bod dau fws y cwmni, y ddau Thornycroft, yn segur yn y garej ym Maesyneuadd – off ddy rôd ac yn da i ddim. Roedd yr hyn a benderfynodd ei wneud â'r ddau fws yma yn rhyfeddol, ac yn dangos ei allu fel peiriannydd. Bu ef, a gŵr arall, wrthi'n lardio ddydd a nos yn tynnu'r ddau fws yn gareiau, ac yn defnyddio'r goreuon o'r rhannau i greu un bws! Dyna i chi gamp!

Ei gynorthwy-ydd yn y fenter oedd John Jones arall, Jac Gof o Glynnog fel y'i gelwid, oedd, wrth gwrs, yn dad i John Philip Jones fu'n gweithio i'r Moto Coch am dros hanner canrif. Mae gan fy nghenhedlaeth i o blant gof annwyl iawn am John Jones oherwydd ato fo y byddem yn sleifio i efeiliau'r Gwaith ger yr Offis i'w gael i wneud cylch a bachyn i ni pan ddeuai'r chwiw honno heibio. Dyn caredig odiaeth.

A do'n wir, trwy chwys y ddau John Jones, fe achubwyd y Moto Coch, fel pentewyn o'r tân, ac yn fuan iawn fe welwyd y bws 'newydd' yn tuthio'n dalog rhwng Caernarfon a Phwllheli unwaith yn rhagor, a phobl Clynnog a Threfor, a phobman arall hefyd am a wn i, uwchben eu digon. Roeddan nhw wedi hiraethu llawer o golli Moto Ni.

Ai hwn, tybed, oedd ail fws y cwmni, tua 1921?

10.

GWAED NEWYDD

Do, fe lwyddodd y ddau John Jones, trwy ryfedd wyrth, i gael y Moto Coch yn ei ôl ar y lôn. Daeth gwaed newydd i gydio yn yr ochr weinyddol i bethau hefyd, a hynny'n parhau'r duedd gynyddol o symud y fenter yn llwyr, mwy neu lai, i bentref Trefor. Cafwyd Ysgrifennydd newydd a Thrysorydd newydd, nid yn swyddi cyflog ond yn rhai gwirfoddol, ac yn rhyfedd ddigon, dau John oedd y rhain hefyd!

John Eff

Yr Ysgrifennydd a benodwyd oedd John F. Thomas, Hengwm, gŵr y mae gen i frith gof ohono, a gŵr oedd yn hynod gydwybodol a chysáct gyda phopeth yr ymgymerai ag o. Roedd yn flaenllaw iawn yng nghapel Gosen hefyd, ac yn Llywydd y Pwyllgor Adeiladau yno, er nad oedd yn flaenor chwaith. Hanner canrif union yn ôl, ar achlysur dathlu canmlwyddiant Gosen ym 1962, fel hyn y'i disgrifiwyd gan y Parchedig Emyr Roberts:

John F. Thomas, Ysgrifennydd mygedol y Moto Coch, 1921-32

'... a oedd yna rywun yn ein plith â'i ofal dros yr adeiladau yn fwy nag ef? Fe'i gwelaf ef y funud yma o flaen y capel, a'i lygaid yn crwydro hyd-ddo fel llygaid llanc wyneb ei gariad, a Mrs. Hughes Tŷ Capel (Llinos yr Eifl) yn lluchio ato, "A leiciet ti inni roi rhaff amdano a'i dynnu o flaen dy dŷ iti gael edrych arno drwy'r dydd?" Gwenu a wnaeth John F. Mi dybiwn na fuasai dim yn fwy wrth ei fodd.'

Darlun cynnes o ŵr â'i galon yn y gwaith. Fel yna'n union hefyd yr ymgymerodd ag ysgrifenyddiaeth y Moto Coch. Aethpwyd ati i ailgodi'r cwmni i'w hen ogoniant. Bu farw John F. Thomas ym 1952 yn 82 mlwydd oed.

John Âr

Y John arall oedd Trysorydd newydd y cwmni, sef John R. Jones, Bod Gwynedd (Gwynlys yn ddiweddarach), un arall o aelodau capel Gosen. Brodor o Gwm-y-glo oedd John Âr, fel y'i gelwid, a bu'n gweithio am gyfnod yn Chwarel Dinorwig. Yno, cafodd ddamwain dost i'w law mewn ffrwydriad, a chollodd rai o'i fysedd.

Yn hwyr bob nos Sadwrn fe'i gwelid yn cerdded yn fân ac yn fuan o Garej y Moto Coch, ar hyd Croeshigol, a dau gwdyn, yn llawn arian, un ymhob llaw. Y cyfan o arian Sadwrn prysur y Moto Coch! Go brin y byddai'n mentro gwneud hynny heddiw!

Bu'n Drysorydd y Moto Coch am flynyddoedd lawer a hyd yn oed wedi iddo ymddeol o'r swydd, ac yn ei hen ddyddiau, byddai'n ymwelydd cyson, os nad dyddiol, â'r garej. Y Moto Coch a'r Rhyt oedd ei fyd.

Cefais fy magu nid nepell oddi wrtho, a fy nhad gododd ei fynglo newydd ym Mro Alun. Gallaf ei weld, yn ddyn bychan digon eiddil yr olwg, a mwstás dan ei drwyn, yn eistedd bob pnawn wrth ochr y stôf yn

John R. Jones, Trysorydd mygedol y Moto Coch rhwng y ddau Ryfel Byd

ystafell biliards y Rhyt, ac ochr chwith ei gôt wedi'i deifio'n wyn gan y gwres beunyddiol. Rhyw greadur bach anniddig ac annifyr ei fyd a gofiaf. Nid oedd ganddo rhyw lawer i'w ddweud wrth blant a phobl ifainc. Fe'i llysenwyd yn 'Sbeidar'! Bu farw ym Mai 1959 yn 80 mlwydd oed.

Y Cyfarwyddwyr

Rhaid cofio mai swyddi gwirfoddol oedd swyddi John Eff a John Âr. Yn ystod y dydd gweithiai'r ddau yn y Gwaith fel pawb arall bron o ddynion Trefor. Roedd eu calon, fodd bynnag, yn llwyddiant y Moto Coch. Aed ati'n ddiymdroi i geisio cryfhau cyfalaf y cwmni. Erbyn Cyfarfod Blynyddol 1920 roedd y 'Nominal Share Capital' yn £1,500, sef 3,000 o gyfranddaliadau 10 swllt yr un. Ond doedd gan bobl mo'r un awydd â chynt i fuddsoddi gan fod y cwmni, mae'n amlwg, braidd mewn strach. Roedd rhyw bum cant a hanner o siariau'n brin o'r nod.

Codwyd nifer o Gyfarwyddwyr newydd, a dyma fel yr edrychai 'Sêt Fawr' y Moto Coch ym 1920.

David Hughes, Maes Mawr, Clynnog	Ffarmwr
David Jones, Ty'n Coed, Clynnog	Ffarmwr
Hugh Owen, Penarth, Clynnog	Ffarmwr
William Hughes, Tanybedw, Clynnog	Ffarmwr
Llewelyn Parry, Llyfni Terrace, Pontllyfni	Ysgolfeistr
Robert Jones, 4 Brynmor Terrace, Clynnog	Cigydd
John Evans, Glanrafon Hen, Clynnog	Teiliwr
William Williams, 1 Green Terrace, Trefor	Labrwr chwarel
Robert Lloyd Jones, Goleufryn, Trefor	Ysgolfeistr
Hugh Pritchard, Nant Bach, Trefor	Ffarmwr
John Robert Jones, Bod Gwynedd, Trefor	Labrwr chwarel
John Francis Thomas, Lime Street, Trefor	Setsmon

R. Lloyd Jones

Felly, roedd John R. hefyd yn un o'r
Cyfarwyddwyr, a does dim dwywaith na
châi gymorth un arall o'r Cyfarwyddwyr,
oedd eto'n flaenllaw iawn ym mywyd
eglwys Gosen, gyda'r cyfrifon. Mae'n fwy
na thebyg mai'r gŵr hwn oedd yn bennaf
gyfrifol am y llyfrau cownt yn ystod y
dauddegau.

Hwn oedd R. Lloyd Jones, ysgolfeistr
Trefor o 1913 hyd 1928, olynydd yr 'Hen
Sgŵl' enwog, B.O. Jones. Ni fu gweinidog
yng Ngosen o ymadawiad Caleb Williams
ym 1913 hyd ddyfodiad T.J. Edwards ym
1934. Serch hynny – mewn gobaith –
codwyd tŷ gweinidog, sef Goleufryn, ac
yno, yn ystod y blynyddoedd hyn, y trigai
R. Lloyd Jones.

R.Lloyd Jones, ysgolfeistr
Trefor 1913-28, awdur
nofelau antur i blant ac un o
Gyfarwyddwyr y Moto Coch.
Bu ef yn gyfrifol am
oruchwylio'r cofnodion a'r
cyfrifon o tua 1921 hyd 1928.

Roedd yn athro blaengar a goleuedig
ac fe'i cofir yn bennaf fel arloeswr y nofel
antur Gymraeg i blant. Deil ei lyfrau o hyd yn boblogaidd –
Mêt y Mona, Ogof yr Ysbïwyr, Ynys y Trysor a Capten, i enwi
rhai ohonynt, gyda phentref Trefor a'i chwarel a'i harbwr yn
gefndir amlwg i'r rhan fwyaf ohonynt. Roedd yn flaenor yng
Ngosen a gallesid yn hawdd ei ddisgrifio fel gweinidog yno!
Ym 1928 symudodd i fod yn brifathro Ysgol Lloyd Street,
Llandudno. Bu farw yn Chwefror 1959 a'i gladdu ym
mynwent Coetmor, Bethesda, yn bur agos at y bardd mawr,
R. Williams Parry.

11.
CYSTADLEUAETH

Y cyfnod hwn wedi'r Rhyfel Mawr oedd oes aur 'bysus bach y wlad' ac, fel y gwelwyd yn ysgrif Jac Williams yn *Lleu*, nid oedd prinder cwmnïau yn Sir Gaernarfon. Ond fel yn hanes pob torllwyth o gwmnïau bychain, am a wn i, daeth anghenfil mawr o rywle i geisio'u traflyncu â'i raib barus. Enw Lefiathan byd y bysus bach oedd cwmni Crosville o Gaer, cwmni'r Moto Gwyrdd.

Tua 1920-21, yn ystod yr argyfwng yn hanes y Moto Coch, daeth cwmni Richards, Caernarfon, ar y sîn. Dechreuasant redeg gwasanaeth bysus rhwng Caernarfon a Phwllheli, ffordd a hawlid, wrth gwrs, gan y Moto Coch. Ond rhaid cofio bod gan unrhyw un yr hawl i roi bws ar y ffordd – unrhyw ffordd – bryd hynny. Enw'r gwasanaeth arbennig yma oedd y Busy Bee. Roedd y gwasanaeth hwn yn beryg bywyd i'r Moto Coch yn ei wendid, a bu'r Busy Bee mewn cystadleuaeth ffyrnig ag o am dair neu bedair blynedd.

Crosville

Yn Nhachwedd 1925 prynwyd y Busy Bee gan gwmni Crosville, a dyma gystadleuaeth llawer grymusach. Diolch i'r drefn, roedd y Moto Coch erbyn hynny wedi cael ei wynt ato ac yn ddigon tebol i wrthsefyll yr ymosodiad. Dyna pryd y cafodd Crosville droedle ar lwybr bysus Caernarfon-Pwllheli, a bu yno am ddegawdau, yn elyn anghymodlon i'n Moto Ni. Yn y diwedd, ni, nid fo, oroesodd.

Roedd cwmni Crosville â'i fryd ar gael un cwmni mawr i wasanaethu holl ogledd Cymru, a dechreuodd gystadlu yn erbyn y cwmnïau bychain ac yna'u prynu. Yn wir, mor fawr oedd ei chwant fel y prynodd, rhwng 1925 a 1949, ddeg ar hugain o gwmnïau llai yn Sir Gaernarfon yn unig a sefydlu pedair canolfan helaeth yn y sir – Cyffordd Llandudno, Bangor, Caernarfon a Phwllheli. Roedd agwedd Crosville tuag at gwmni fel y Moto Coch yn ddirmygus, os nad ffiaidd ar brydiau.

A phan ddechreuodd Crosville dresmasu ar Ben Hendra wedi agor y Lôn Newydd i Drefor ym 1936, aeth yn dân gwyllt, a buan y bu raid iddo ildio, a chytuno mai gwir ystyr 'Trefor Only' ar y lôn bost oedd 'Moto Coch Only'!

Cofiaf yn dda ddyddiau mebyd pryd y'n rhybuddid i beidio teithio, ar boen ein bywyd, ar fws Crosville ar y ffordd rhwng Caernarfon a Phwllheli. Ni chofiaf i mi erioed dorri'r rheol er torri bob rheol arall mewn bywyd ac ar fws. Fodd bynnag, gan nad oedd y Moto Coch yn rhoi llawer o waith i fyfyrwyr yn ystod misoedd yr haf, bûm yn gondyctor Crosville dros hafau dwy o'm blynyddoedd coleg. Cofiaf nad oedd Nain yn gallu dygymod â'r fath ddiffyg teyrngarwch. Ond roedd y cyflog yn dra derbyniol i fyfyriwr tlawd, os nad felly gwmni cannoedd o 'happy campers' hanner meddw'n dychwelyd o Bwllheli ar bnawn Mercher i Wersyll Byclings ym Mhenychain.

Y Gelyn. Llun o'r 'Marchog Llwyd', un o fysus cyntaf Cwmni Crosville o Gaer. Tynnwyd y llun o flaen gwesty Castell Penarlâg, Sir y Fflint, ym 1913.

12.
BRYN COCH

Ond efallai mai'r bygythiad mwyaf i'r Moto Coch oedd y cwmni bysus newydd a sefydlwyd yn Nhrefor ei hun, a hynny o fewn ychydig dros gan llath o'r garej ar iard Maesyneuadd. Nid oes unrhyw sicrwydd pa bryd yn union y daeth y cwmni newydd hwn i fod. Dywed Gwilym Owen yn ei lyfryn fel hyn: '... yn niwedd y dauddegau prynodd John Thomas, Bryn Coch, Trefor, ddau fws, sef y "Trefor Blue" a rhedeg ar y briffordd o Gaernarfon i Bwllheli'. Ni all hyn fod yn gywir, oherwydd roedd John Thomas yn ei fedd er Chwefror 1921. Bu farw'n 62 mlwydd oed.

Mae'n werth dweud gair am y teulu. Brodor o Drefor oedd John Thomas, yn fab i William Thomas y crydd (1820-97) a'i wraig Jane (1818-1909), un o Langybi. Tua 1894 priododd John ag Ann, merch o gyffiniau Llansannan yn Sir Ddinbych. Collasant dri o'u plant yn fabanod, ond goroesodd tri arall. Un oedd Maggie Jane, priod Griffith

Y bws cyntaf un (Commer CC553) o flaen Bryn Coch, cartref John Thomas, y condyctor. Ei fab, William Henry, sy'n sefyll agosaf at y gyrrwr. Lladdwyd William yn Ffrainc yn y Rhyfel Mawr, 1918 yn 21 mlwydd oed.

Jones, Pen-y-bont, fu'n godwr canu yng nghapel Maesyneuadd am flynyddoedd lawer. Bu hithau'n athrawes Ysgol Sul arnaf innau ac eraill yn y Festri Bach. Gadawodd ei thŷ, Maes-teg, yn gymynrodd i'r capel.

Lladdwyd mab John Thomas yn Croix de Bac (Nord), Ffrainc, yn y Rhyfel Mawr ym 1918, yn 21 oed. Hwn oedd William Henry, 'bachgen ieuanc hynod o addawol ... ac effeithiodd y golled yn fawr ar iechyd y tad'. Mewn un hen lun o fws cyntaf y Moto Coch (Commer), a hwnnw'n sefyll o flaen Bryn Coch tua 1912/13, gwelir William Henry yn fachgen rhyw un ar bymtheg oed yn sefyll wrth ochr y dreifar. Mae ei chwaer, Maggie Jane, wedi sgrifennu'r geiriau hyn ar gefn y llun gwreiddiol: 'Fy mrawd William Henry iw y Bachgen sydd yn sefyll yna'.

Trydydd plentyn John ac Ann Thomas, wrth gwrs, oedd John Aled, a anwyd ym 1903. Hwn oedd y gŵr fu'n bennaf wrth lyw y Trefor Blue, a elwid ar lafar yn 'Moto Aled'.

Roedd gan John Thomas chwaer a drigai yn y tŷ bychan drws nesaf iddo ym Mryn Coch, Anne Bunney (1855-1906), ac fe gadwai hi a'i merch, Anne Jane, siop fferins yn y tŷ. Collodd Anne Bunney ei mab John yn 23 oed ym 1908.

Bu farw John Thomas yn 62 mlwydd oed ar y cyntaf o Chwefror, 1921, a'i briod Ann ugain mlynedd ar ei ôl, yn 79 oed. Cafodd John Thomas angladd tywysog. Roedd o'n ŵr adnabyddus i gannoedd o deithwyr y Moto Coch, a'r brêc cyn hynny. Tyrrodd y bobloedd i'r orymdaith fawr o Fryn Coch, gan gerdded tu ôl i'r elorgerbyd yr holl ffordd i fynwent Llanaelhaearn. Blaenorid y dyrfa gan aelodau Cymdeithas Gyfeillgar yr Eifl. Cyfeirir ato fel 'gŵr tawel, cymwynasgar, ac yn neilltuol o bur i'w gyfeillion. Unwaith y ffurfiai gyfeillgarwch, gofalai am gadw y cyfryw yn bur ac yn lân. Cafodd gystudd trwm ... un o wynebau tirionaf y dreflan ydoedd ... chwith gan deithwyr y "Motor Coch" am ei wên a'i gymwynas garedig. Bydd dylanwad tawel a hawddgar ei fywyd ar ysbryd goreu'r fro yn hir ...

> Gwyn ei fyd! Fe ganfu ef – wedi cur,
> Fod coron y wiwnef,
> Iddo'n 'rhan dda' yn nhref
> Wych y delyn, uwch dolef.'
>
> (Cybi)

Trefor Blue – Moto Aled

Pa bryd, felly, y ffurfiwyd cwmni'r Trefor Blue? Y gwir amdani yw nad oes neb yn rhyw siŵr iawn. Nid yw William Roberts (Gwilym Ceiri) yn cyfeirio ato o gwbl, ac mae Gwilym Owen yn amlwg wedi ei methu hi.

Fel y soniais, bu John Thomas farw ar y cyntaf o Chwefror, 1921, a 'chafodd gystudd trwm', hynny'n golygu iddo fod yn ŵr gwael am gyfnod helaeth o'r flwyddyn 1920. Go brin y byddai'n mentro prynu bws a ffurfio cwmni newydd dan y fath amgylchiadau. Felly, gallwn gasglu nad oedd gan John Thomas unrhyw ran yn ffurfio cwmni'r Trefor Blue, ac mai ei fab, John Aled Thomas, oedd pendragon y fenter, ac i hynny, mwy na thebyg, ddigwydd tua 1922-23. Cyfeirir yn adroddiad y wasg o gynhebrwng John Thomas fod ei farwolaeth yn golled i deithwyr y Moto Coch (yn unig).

Gwyddom, fodd bynnag, i gystadleuaeth ffyrnig dros ben ddatblygu rhwng Gleision Aled Thomas a Chochion John Jones. Do'n wir, fe gynyddodd busnes y Trefor Blue yn weddol daclus a pheri bod y perchennog yn prynu bws arall a chyflogi dau yrrwr. Roedd un ohonynt yn ewyrth i mi, gŵr annwyl iawn, Evan John Williams o'r Allt, Clynnog, a briododd chwaer fy nhad ym 1931 a byw wedi hynny ym mhentref y Ffôr. Fe'i hadwaenid, yn un o yrwyr y Blue, fel

'Ifan Aled'. Yn ôl pob clandro teuluol roedd f'ewyrth yn gyrru bws y Trefor Blue yn ystod blynyddoedd ola'r dauddegau a dechrau'r tridegau. Yn ddiweddarach, gweithiai yng nghanolfan y Crosville yng Nghaernarfon ac yna, hyd ei ymddeoliad, fel gyrrwr nos tanceri llaeth Rhydygwystl. Coffa da amdano.

Gyrrwr arall y Trefor Blue oedd William Lloyd, 'Rynys, Llanaelhaearn, a byddai Aled ei hun hefyd wrth y llyw. Cadwyd y bws cyntaf yn hen garej John Thomas a safai yn y fynedfa rhwng Bryn Coch a Gorffwysfa, ond ar ddyfodiad cerbydau eraill codwyd garej fawr newydd yn y cefn, a bu honno yno hyd yn gymharol ddiweddar. Bu nifer o bobl Trefor yn cadw'u ceir a'u faniau ynddi, fy nhad yn un ohonynt.

Gwraig Aled Thomas oedd Sarah, nyrs wrth ei galwedigaeth. Cafodd hithau ei hadnabod, yn ei blynyddoedd olaf beth bynnag, fel 'Nyrs Aled'. Wedi marwolaeth ei gŵr, bu'n gwerthu petrol o'r pwmp henffasiwn ym Mryn Coch, gan sefyll yno, ym mhob rhyw dywydd, yn ei lythrennol bwmpio â llaw i'n moduron, a chael trafferth i gael y newid cywir oherwydd prinder busnes, dybiwn i. Un fechan ac annwyl iawn oedd Nyrs Aled, a'i ffyddlondeb yn Eglwys Trefor yn ddihareb. Bu farw ym 1976 yn 77 mlwydd oed.

Roedd hi eisoes, tua chanol y chwedegau, wedi gwerthu Bryn Coch, yr iard, y pympiau petrol cyntefig a'r garej fawr sinc i Johnnie Cullen, a bu yntau'n gwerthu petrol yno'n achlysurol am rai blynyddoedd.

Trydanwr oedd Aled wrth ei grefft, a gweithiai yn ninas Manceinion. Mae'n debyg bod gan ei dad, John Thomas, rhyw lun o garej i drwsio ceir ym Mryn Coch yn ystod, ac wedi'r Rhyfel Mawr, ac ar ei farwolaeth ym 1921 bod Aled wedi dychwelyd i Drefor, yn llanc deunaw oed. Tybed ai wedi hynny y ffurfiwyd Cwmni'r Trefor Blue?

*Dyma fws cynta cwmni'r Trefor Blue ('Moto Aled') – Commer (CC3511).
Nodwyd y flwyddyn 1923 ar gefn y llun. Dafydd Jones, Tir Du, yw'r
condyctor gyda'r bag dros ei ysgwydd, ac Aled Thomas ifanc
yw'r gyrrwr ar y dde*

Y bysus gleision

Hyn a wyddom. Un bws yn unig oedd yna ar y cychwyn a
Commer oedd hwnnw. Mae gennyf ar fenthyg lun ohono
gydag Aled Thomas a Dafydd Jones, mab Owen ac
Elizabeth Jones, Tir Du, yn sefyll o'i flaen. Mae gan yr olaf
fag pres ar ei ysgwydd, felly fe ymddengys mai Aled yw'r
gyrrwr. Ar gefn y llun fe sgrifennwyd mewn inc (sydd wedi
smyjio braidd) y geiriau hyn: 'Commer Gynta 1923 Trevor
Blue. Yn y llun Dafydd Jones Tir Du John Aled Thomas
Bryn Coch Hawlfraint D.T. Evans (neu D.J. Evans)
Rhuthun.' Nid yw yr enw Trevor Blue i'w weld ar y bws yn
unman. Mae'r arwydd Pontllyfni, Clynnog a Trefor ar flaen
y bws. Ai enwau'r cyrchfannau yw Clynnog a Trefor, ynte
enw swyddogol cwmni Moto Coch? Gall ei ddyddio'n 1923
fod yn gywir gan mai teiars caled sydd ar yr olwynion, ond

pwy yw perchennog y bws?

Mae yna lun arall o'r un bws, a'i rif cofrestru'n hollol blaen – CC 3511. Yr un dau sy'n sefyll o'i flaen.

Ac mae yna drydydd llun. Llun ydi o o fws teiars caled, ac mae'r llythrennau breision ar hyd ochr y bws yn datgan yn ddigamsyniol pwy a'i piau – 'TREVOR BLUE MOTORS'. Ar un o ffenestri'r bws mae yna bapur, wedi ei roi'n arbennig ar gyfer y llun dybiwn i, a'r geiriau hyn arno:

BUILT BY
SPICERS MOTORS
LIMITED
SOUTHPORT

Mae teiars caled y bws hwn eto'n awgrymu ei fod yn dyddio o hanner cyntaf dauddegau'r ugeinfed ganrif.

Ail fws y Trefor Blue ('Moto Aled'), tua 1925

Gelyniaeth

Ddechrau'r tridegau, wedi adeiladu'r garej sinc fawr yng nghefn Bryn Coch, prynodd cwmni'r Blue dri bws – dau ADC ac un Commer Invader. Roedd am ehangu'i orwelion yn sylweddol. Ond y gwir amdani oedd fod Aled wedi gwario'n ormodol ac o hynny ymlaen fu fawr o fri ar y fenter. A ph'un bynnag, doedd yna ond ychydig o gefnogaeth iddo ym mhentrefi Trefor a Chlynnog gan fod mwyafrif mawr teuluoedd y ddau le â rhyw gysylltiad neu'i gilydd â'r Moto Coch.

Erbyn 1934 doedd gan y cwmni ond un bws yn unig, sef ADC, bws oedd â llyw hollol fertigol – yn union fel llyw llong – heb unrhyw oledd iddo. Y flwyddyn honno daeth y cyfan i ben pan brynodd y Moto Coch y bws a rhoi swydd gyrrwr i Aled, ac yntau i barhau i werthu petrol a thrwsio ceir yn ei garej ym Mryn Coch. O 1939 bu'n gweithredu fel 'Special Constable' yng Nghaernarfon.

Wedi'r elwch …

Bellach, roedd y rhyfel bysus drosodd, a heddwch unwaith yn rhagor yn teyrnasu. Ysywaeth, bu farw Aled ar y 13eg o Fai, 1949, yn 46 mlwydd oed. Mae'r adroddiad o'i gynhebrwng a welir yn y *Caernarfon & Denbigh Herald* yn haeddu sylw.

Fe'i claddwyd fel un o ddynion y Moto Coch! Doedd dim sôn o gwbwl am y Trefor Blue. Dywedid amdano ei fod yn '… *one of the drivers of the local Red Buses for many years*', ac yn y rhestr o alarwyr ceir enwau John Jones, Morwel, a John R. Jones, Bro Alun, Rheolwr a Thrysorydd y Moto Coch. Mae enwau Donald Cullen a Richard Williams (Dic) yno hefyd fel dau o'i gydweithwyr, a chariwyd ei arch gan bedwar o yrwyr y Moto Coch – John Philip Jones, Alun Roberts, William Williams (Plas Bach) a Hugh Roberts (Huw Llwyn). Er gwaetha'r gwrthryfel dros nifer o flynyddoedd, mae'n debyg mai teulu Moto Coch oedd teulu Bryn Coch drwy'r cwbwl.

Aled Thomas, perchennog y Trefor Blue

Cafodd angladd teilwng, a sylwaf fod enwau 'nhad a 'nhaid yno hefyd, fel diaconiaid ym Maesyneuadd, ac mae chwaer Aled, Maggie Jane Jones, yn nodi ar ddalennau Beibl teuluaidd Bryn Coch bod yn angladd ei brawd 'dyrfa fawr, ugain o geir a dwy Double Deck', un arall o swyddogaethau'r Moto Coch dros y blynyddoedd, a'r broliant yn atgoffa dyn o rai o eiriau soned Robert Williams Parry:

'Yn ôl y papur newydd yr oedd saith
A phedwar ugain o foduron dwys
Wedi ymgynnull echdoe at y gwaith
O redeg rhywun marw tua'i gŵys ...

Ond ar y dwfr sydd am y llen â'r llwch
Ni frysia'r Cychwr, canys hen yw'r cwch.'

13.
'BLYNYDDOEDD ANWASTAD'

Ni frysiodd trigolion y fro chwaith i brynu cyfranddaliadau yng Nghwmni'r Moto Coch. Mor ddiweddar â 1922 roedd yna drichant a deugain yn dal heb eu gwerthu, a hynny mae'n debyg oherwydd yr ansicrwydd a lechai ym meddyliau pobl ynglŷn â dyfodol y cwmni. Roedd yna bellach, rhwng y Busy Bee, y Crosville a Moto Aled, gystadleuaeth go ffyrnig ar y ffordd rhwng Caernarfon a Phwllheli.

'Yr oedd yn amlwg,' meddai William Roberts, 'bod mwy o fwsiau yn rhedeg ar y ffordd rhwng Pwllheli a Chaernarfon nag oedd o deithwyr ar eu cyfer.' Ychwanega'r un gŵr bod y dauddegau yn un o gyfnodau anodda'r cwmni. Meddai am y blynyddoedd 1922-32:

'Blynyddoedd anwastad a phryfoclyd fu'r deg nesaf yn hanes y Motor Coch – blynyddoedd tynged. Mynych bu'r cyfarwyddwyr yn methu gwybod ar ba law i droi. Ansicrwydd masnach a diweithdra yn y chwareli setts (rai ohonynt wedi cau) oedd yr achos a barai'r mwyaf o bryder ynglŷn â gwaith y bwsiau.'

Yn ôl pob golwg, roedd pethau'n argoeli'n ddrwg, a chymylau gwirioneddol dduon yn crynhoi uwchben y Moto Coch druan. Bu ond y dim i'r ardal weld ei dranc. 'Cafwyd achosion droeon a barai i'r cyfarwyddwyr fod yn ansicr o'u safle. Nid oedd unfrydedd llwyr yn eu plith. Ofnai rhai fethdaliad.'

Cafwyd rhyw fath o her yng Nghyfarfod Blynyddol 1923 pan bwysodd y Cadeirydd, David Jones, Tyncoed, ar bobl i chwyddo'r cyllid trwy brynu rhagor o gyfranddaliadau.

Roedd y Cwmni'n dal yn brin o lawnbryniad y 3,000. Pum siâr yn unig oedd y cynnydd rhwng Tachwedd 1922 a Thachwedd 1923, a deunaw arall flwyddyn yn ddiweddarach (1924).

Yn y cyfnod hwn hefyd cafwyd bygythiad pur ddifrifol o du'r LMS, y cwmni trenau, a hynny ar ffurf bwriad honedig i roi eu gwasanaeth bwsiau eu hunain ar y ffordd o Bwllheli i Gaernarfon. Ni wyddom yn hollol beth oedd y rheswm, onid bod y sawl oedd â gwasanaeth eisoes ar y ffordd yn bur ddiffygiol mewn prydlondeb, ac yn tueddu i fod braidd yn annibynadwy. Bu'r mater ar fwrdd y Cyfarfod Blynyddol, ac yno cafwyd penderfyniad i wella'r sefyllfa. Hynny a wnaed, ac o'r dydd hwnnw hyd heddiw gellir dweud i'r Moto Coch roi gwasanaeth cwbl ddibynadwy a safonol.

Dal yn simsan, fodd bynnag, oedd y sefyllfa ariannol, honno'n adlewyrchu cyflwr anwadal y fasnach gerrig a'r gyflogaeth yn y Gwaith. Sylfaen, yn wir crynswth, cefnogaeth y Moto Coch oedd y chwarelwyr a'u teuluoedd, ynghyd â phobol plwyf Clynnog. Cartref teyrngarwch pobol Moto Ni oedd y fro honno a orweddai rhwng Llanaelhaearn a Phontllyfni.

Efallai y gellid dadlau bod y Moto Coch yn rhy 'ddemocrataidd', heb un rheolwr pendant, heb un gwir ben. Tueddiad cwmnïau a chymdeithasau cydweithredol neu bentrefol fel y Moto Coch ydi fod gormod o leisiau'n mynegi barnau gwahanol, gormod o 'feistri', a'r rhan fwyaf o'r rheini'n bobl na wyddant odid ddim am redeg busnes, yn arbennig busnes a oedd ag ochr beirianyddol bendant iddo. Dyna, mae'n debyg oedd wrth wraidd y newidiadau pellgyrhaeddol gafwyd ym mlynyddoedd y tridegau. Roedd pethau go fawr – a daionus – ar ddigwydd i gwmni'r Moto Coch.

14.

O'R TYWYLLWCH

Ar ddechrau'r tridegau roedd sefyllfa ariannol y cwmni'n dal yn bur fregus ac ansicr. Yn ystod y dauddegau ni thalwyd unrhyw log am bump o'r blynyddoedd, ond fe gafwyd rhywfaint o elw erbyn diwedd y degawd. Aed ati'n awr i gryfhau sylfeini a strwythur gweinyddol y cwmni a chael gwell trefn ar bethau'n gyffredinol. Roedd holl ethos y cwmni rhywsut mor amaturaidd, a hynny'n golygu nad oedd rhyw lawer o gynnydd. Bellach, rhaid cyfaddef, ni ellid galw cwmni'r Moto Coch yn gwmni blaengar.

Y cam cyntaf oedd cael swyddog gweinyddol llawn-amser, neu Ysgrifennydd fel y'i galwyd. Mewn gwirionedd, hwn fyddai rheolwr y busnes. Y sawl a benodwyd oedd Robert Ellis Richards (R.E.R.) McClement (1894-1944), Gerallt, Trefor, un o dylwyth Alexander a Mary McClement, 46 Farren Street. Roedd yn briod ag Annie McClement

Tystysgrif cyfranddaliadau (20) Jane Rowlands,
Gwydir Mawr, dyddiedig Ebrill 1930.

(Jones cyn priodi) (1895-79), merch Mathias a Margaret Jones, ei mam yn un o ferched hen deulu Lleiniau Hirion. Yn ddiweddarach, dros flynyddoedd lawer ei gweddwdod, bu Mrs McClement yn cadw tŷ capel Maesyneuadd (A.). Fe'u bendithiwyd ag un plentyn, Morfudd, ond bu hi farw'n blentyn chwe mlwydd oed.

I'r Cae Coch

Roedd pethau'n anodd braidd ar iard Maesyneuadd. Os oedd y cwmni i ddatblygu roedd yn rhaid cael garej arall a llawer mwy o le i barcio bysus. Roedd Maesyneuadd bellach yn llawer rhy anghyfleus ac anaddas. Yn un peth, nid oedd yno gyflenwad dŵr o unrhyw fath, oddigerth yr hyn a gesglid mewn ambell gasgen, a byddai'n llafur caled a digon rhwystredig i gario bwcedeidiau lu yr holl ffordd o'r afon a lifai yng ngwaelod yr iard. Roedd sibrydion yn y gwynt hefyd bod angen safle'r garej i adeiladu ffermdy newydd ym Maesyneuadd.

Yn y cyfamser, roedd Cymdeithas Gydweithredol Chwarelwyr yr Eifl, (y 'Stôr' ar lafar), wedi prynu Siop Glandŵr, ac yn bwriadu symud eu holl safle o'r 'Hen Stôr' yn 17/19/21 Trem-y-môr, a chodi warws a becws ac agor iard lo yng nghefn yr adeilad. Lleolid y cyfan ar gae reit ynghanol y pentref o'r enw Cae Coch, oedd yn ymestyn ar hyd cefnau Siop Goch, Fron Goch a'r ddau Fryn Coch, gan gynnwys garej a iard y Trefor Blue, hyd at Gorffwysfa, y cyfan o'r rhain wedi eu codi ar Gae Coch. Yna i lawr at adwy cae tatws Llwyn Aethnen, lle mae ceg y llwybr bach heddiw ger capel Gosen. Yn rhyfedd iawn, rhan o dir Gwydir Bach oedd Cae Coch.

Garej a iard newydd

Diwedd y gân fu prynu rhan o'r cae, pontio Rafon Bach, a

chodi garej sinc a choed yno, gyda swyddfa yn llofft y garej ar gyfer y Trysorydd – 'Offis John Âr' fel y'i gelwid. Seiri coed Hendre Bach, Rhos-fawr, fu'n gyfrifol am adeiladu'r garej fawr newydd. Yr hyn a wnaethant oedd ei llunio yn Hendre Bach, ac yna'i chario fesul darn i'r Cae Coch a'i gosod wrth ei gilydd yn fanno, yn union fel petai'n garej Meccano neu Lego. Roedd lle ynddi i chwech o fysus. Symudwyd o Faesyneuadd i'r garej a'r iard newydd ym 1932. Roedd swyddfa gofrestredig y Moto Coch bellach yng Ngerallt, cartref Robert Ellis McClement, Ysgrifennydd cyflogedig y cwmni, uwch allt y môr ar weirglodd Gwydir Mawr. Byddai Robert Ellis hefyd yn casglu trethi yn y pentref.

John Jones, wrth gwrs, oedd yn llwyr gyfrifol am ochr beirianyddol y cwmni trwy'r dauddegau a'r tridegau. Roedd yn yrrwr yn ogystal. Yn ôl pob tystiolaeth fe wnaeth ryfeddodau gyda bysus y Moto Coch, a chael y gwasanaeth, o'r diwedd, i fod yn llawer mwy proffesiynol a dibynadwy. Roedd dyled y cwmni iddo'n ddifesur.

Cartrefol a chymdogol

Does dim gwadu nad oedd yna arferion hollol gymdogol a braf yn perthyn i'r cwmni. Wedi'r cyfan cwmni gwledig, cartrefol a hamddenol oedd o yn y bôn, a'r gyrwyr yn adnabod pawb o'r teithwyr, mwy neu lai. Ni chymerid fawr o sylw o'r 'bus stops' swyddogol, oddigerth y prif rai fel ar Ben Hendre yn Nhrefor, a chanol y pentrefi eraill. Ni ellir dweud ychwaith y telid gormod o sylw i'r amserlen brintiedig, swyddogol. Stopio o flaen drws rhywun fyddai hi gan amlaf, a disgwyl yn amyneddgar wrth ambell un i orffen ei frecwast!

15.

TROEON TRWSTAN

Mae sôn hyd heddiw am eira mawr 1929. Hanner canrif yn ddiweddarach, gallai John Phil ei gofio'i hun yn un o yrwyr ifainc y Moto Coch, ac yn gadael Maes Caernarfon gyda'r bws chwarter i dri a hithau'n bwrw eira'n drwm. Cael a chael oedd hi i gyrraedd Pontllyfni. Methai fynd fodfedd ymhellach, a bu'n rhaid gadael y bws, yn fanno ger Wenallt, ar drugaredd y tywydd gerwin.

Eira mawr 1929, a'r bws druan o'r golwg dan luwchfeydd nid nepell o giât y fynwent newydd yn Nhrefor

Mae'n dda ei fod o'n hogyn ifanc heini oherwydd bu'n rhaid iddo frwydro'n galed yn erbyn cynddaredd didostur un o'r stormydd eira gwaethaf o fewn cof. Caewyd y lôn yn llwyr gan luwchfeydd anferth hyd at bennau'r cloddiau, ac roedd hi'n gwbl amhosib cerdded hyd-ddi. Doedd dim amdani ond ei mentro hi drwy'r caeau, a chyrraedd adref i Glynnog am wyth o'r gloch y nos.

Bu honno'n antur enbyd, a bu'r Moto Coch druan yn cysgu, o'r golwg dan garthen wen drwchus, am dros wythnos ym Mhontllyfni.

Ar ben y to

Lle hynod o ddifyr fyddai to'r bws. Amgylchid y to â reling isel o weiren er rhwystro nwyddau ac anifeiliaid – a phobl -

rhag syrthio i'r lôn. Roedd y fan honno, yn arbennig ar dywydd braf, yn lle gwych i lanciau'r fro gadw reiat, o daflu ambell daflegryn at bobl min y ffordd, i geisio hel mês oddi ar goed derw Glynllifon. Byddai'r coed deiliog trwmlwythog yn gallu bod yn beryg bywyd.

Mewn ysgrif fer, ddifyr, yn *Y Ffynnon*, papur bro Eifionydd, mae Elfed Thomas yn sôn am 'anferth o dderwen yn tyfu ym Methesda Bach' ger Llanwnda, a'i 'brigau yn isel iawn'. Ni chaniatâi Sgweier Glynllifon i na Chyngor na chwmni bysus dorri'r brigau gan mai ei eiddo fo, mei lòrd, oedd y goeden! Meddai Elfed Thomas am ei brofiadau rhyfeddol gyda'r Moto Coch a'r to plethedig o goed a nodweddai ffordd Glynllifon cyn eu dinistrio gan y Cyngor Sir:

'Da i mi oedd hynny, oherwydd cefais waith proffidiol iawn yn ei sgîl. Byddai y bws yn orlawn ar bnawn Sadwrn, a byddai llanciau'r fro, yn fwy dewr na rhai hŷn, yn dringo i fyny'r ysgol ar gefn y bws ac yn mynd i eistedd ar y to. Lle peryg odiaeth, yn enwedig os byddai rhai wedi bod yn y 'Goat' cyn mynd i'r dre ... byddai ambell un yn anghofio gwyro pan ddeuai'r bws at y goeden ac nid oedd bwrpas gweiddi arnynt, ni wrandawent. Sôn am gomosiwn, y gweiddi, ynghyd ag iaith amhrintiedig. Byddai capiau a hetiau ar y ffordd, ar y gwrychoedd, ac yng nghae Tŷ Newydd, lle yr oeddwn yn byw.'

Ond ymhle roedd y 'gwaith proffidiol iawn', tybed? Dyma fo!

'Fy ngwaith i oedd hel y lot at ei gilydd a'u danfon i fyny'r ysgol. Cawn geiniog am y gorchwyl yma. Yr oedd cymaint o hetiau caled un tro (Sasiwn neu Gymanfa yn y dre), fel y cefais chwe cheiniog am y gwaith ... chwi welwch, felly, pam y mae gennyf gymaint i'w ddweud wrth Clynnog & Trefor.'

Mae'n werth sylwi hefyd cymaint o feddwl oedd ganddo o John Jones, yr hwn fyddai'n 'dreifio'r Commer yn aml ... yr oedd ... yn mynd fel Rolls pan fyddai John Jones wrth y llyw'.

Cario popeth dan haul

Mae pob atgof sydd yna o gyfnod cynnar y Moto Coch – y chwarter canrif cyntaf, dyweder, yn cyfeirio at ddwy nodwedd yn arbennig, sef y llwyth a'r llwytho. Ar y naill law maint, neu or-faint, y llwyth, ac ar y llall natur y llwyth a'r trafferthion a geid.

Er enghraifft, ceir disgrifiad gwych o'r Moto Coch a'i amryfal lwythi yn stryffaglio dan ei sang fel un o drenau India fawr, wedi ei orchuddio gan deithwyr neu anifeiliaid, gan William Roberts, Hendre:

'Dyna'r adeg pan oedd y Moto Coch yn gyfleus i amrywiol wasanaethau – a rhai heb fod o'r ansawdd mwyaf bonheddig.

Un o fysus y 1920au cynnar o flaen 46 Ffordd yr Eifl ar Ben Hendra. Sylwch ar y reling isel ar y to, yr ysgol a'r platfform yn y cefn – digon o gyfleusterau i gario anifeiliaid o bob math! Arch Noa o fws, yn wir.

Nid anfynych y gwelid llo neu ddau yn gyd-deithwyr â dynion tua thref. Cymaint ag ugain o ŵyn ar y tro a gludid ynddo i'r lladd-dy yn Nhrefor ambell wythnos. Dyna'r cyfnod pan nad oedd tabl amser, na diogelwch y teithwyr yn bwysig yng nghyfrif y cwmni.

Droeon y gwelwyd oddeutu cant o ddynion ar y bws ar yr un pryd. Pan ddirwywyd y cwmni ar ôl Ffair Llanllyfni, dywedir bod cant ac ugain yn y bws, er mai lle i eistedd i bymtheg ar hugain oedd wedi ei argraffu mewn lle amlwg tu fewn i'r bws.

Byddai ysgol haearn yn hongian o du ôl bwsiau yr amser hwnnw, a byddai mwy o deithwyr gan amlaf ar do'r bws na fyddai o'i du mewn …'

Cofia Dic Moto Coch yntau mai 'golygfa gyffredin oedd gweld deg neu ddwsin o famogiaid yn cael reid ar y top, a mochyn neu ddau neu dri mewn sachau yn y lle cario nwyddau rhwng y mydgar ôl a'r mydgar blaen'.

Torcyfraith!

Gallai gweithwyr y Moto Coch cynnar ymffrostio na fu i'r un ohonyn nhw adael teithiwr ar ôl yn unman, waeth faint o lwyth oedd ar y bws. Ac fe roedden nhw'n wirioneddol orlawn, yn arbennig ar y Sadyrnau o Gaernarfon. Ymffrost fawr un gyrrwr yn unig, y dihafal Ddic Moto Coch, oedd iddo fod o flaen y Fainc yng Nghaernarfon a Phwllheli 43 o weithiau ar gyhuddiad o orlwytho'r bws.

Mae'n debyg mai ei 'claim to fame' yn y cyswllt hwn oedd y tro hwnnw pan y'i stopiwyd yn y Bontnewydd gan blismon, ac i hwnnw fynd i mewn i'r bws – bws a ddaliai'n gyfreithlon 40 o deithwyr yn unig – a chyfri'r pennau fel cyfri defaid mewn corlan. 'Pum deg … saith deg … naw deg … cant a phump … cant dau ddeg saith … cant pedwar deg pump!' Ar fy ngwir, 145 o deithwyr, a'r rheini'n gorwedd dan y seti ac ar y silff bagiau, neu'n hongian ar y tu allan neu 'ar y siandilîars' ys dywedai'r hen bregethwyr gynt. Yn ôl Dic ei hun, 'roeddan nhw hyd y mydgards a phob man, ond doeddwn i ddim haws a dweud wrthyn nhw am fynd i lawr wyddoch chi – felly, doedd dim amdani ond mynd ... doedd dim iws gadael pobol ar ôl i gerdded adref'. Chwarae teg iddo.

Canlyniad hyn o 'esgeulustod' (cyson braidd) ar ran gyrrwr y Moto Coch oedd ei wysio i'r Llys Ynadon yng Nghaernarfon a'i ddirwyo am y fath drosedd anllad. Unig sylw Dic oedd fod yr achos yn cymryd llawer gormod o'i amser, a hynny am y rheswm anfarwol bod Clerc y Llys yn cymryd tua deng munud i ddarllen y *'previous convictions'*!

Cyfrwys – hwnna ydi o!

Roedd hi ar ben deg o'r gloch un nos Sadwrn brysur ar y Maes yng Nghaernarfon, a'r Moto Coch dan ei sang, yn bochio gan deithwyr. Dic oedd y gyrrwr ac Annie Mary oedd y condyctor. A dweud y gwir, roedd dros ddwywaith y nifer cyfreithlon o deithwyr wedi eu stwffio, fel penwaig i gasgen, y nos Sadwrn honno, a hynny mewn cyfnod pryd oedd yr heddlu ar eu mwyaf gwyliadwrus, ac yn erlyn llawer o'r cwmnïau bysus am orlwytho.

Daeth rhywun at Dic, a'i wynt yn ei ddwrn. 'Gwylia di, 'rhen frawd, mae'r plismyn yn stopio'r bysus ger yr Eagles heno 'ma.'

Diolchodd Dic am y rhybudd a galwodd ar Annie Mary i roi gorchymyn i bawb oedd yn sefyll i orwedd ar lawr y bws. Yn y cyfamser, newidiodd yntau'r arwydd ar flaen y bws, o 'TREFOR' i 'PRIVATE', tanio'r injan a'i chychwyn hi hefo'i lwyth anghyfreithlon.

Gweithiodd ei ystryw i'r dim a chododd rhai o'r plismyn eu llaw ar Dic gan ddweud, 'Trueni na fyddai pob cwmni mor gydwybodol â'r Moto Coch'.

Ambell dro, pan ddeuai'r plismon i mewn i'r bws i gyfri'r teithwyr, byddai'r nifer 'ychwanegol' yn llithro'n dawel i'r nos drwy'r 'Emergency Exit' yn y cefn, yna'n cerdded yn llechwraidd rhyw ganllath neu ddau ymlaen ar y daith, ac ailymuno â'r gorlwyth o olwg dyn y pastwn a'r helmed.

Ymroddiad – hwnna ydi o!

Cyfeiria William Roberts at ffair Llanllyfni, 'Ffair Glabsan' (Ffair Gŵyl Mabsant) fel y'i gelwid gynt. Pan ddaeth seindorf enwog glowyr parthau uchaf Cwm Tawe, Band Gwauncaegurwen, i fyny i'r gogledd i gasglu arian yn ystod Streic Fawr 1926, cawsant oll deithio am ddim ar y Moto Coch er hwyluso'u taith i'r ffair. Cawsant gasgliad teilwng yno.

Roedd y Moto Coch yn hen law ar gario gweithwyr. Yn ystod y dauddegau bu Dic Moto Coch yn cario llond bws o ddynion Clynnog a'r cyffiniau i weithio yng Ngwaith Mawr Trefor. Byddai'n cychwyn o Glynnog am ddeng munud wedi chwech y bore, a hynny chwe bore'r wythnos. Diwrnod o waith arferol wedyn rhwng Caernarfon a Phwllheli, ac yn glo ar y diwrnod, cario'r chwarelwyr yn ôl i Glynnog. Gwnaeth hyn am saith mlynedd gron heb gymaint â cholli un bore.

16.
MOTO'R ANIFEILIAID

A beth am hanes yr anifeiliaid? Cofiaf ddarllen un tro yn rhywle am y Moto Coch yn cario 75 o ŵyn ar ei do i'r lladd-dy yn y Gors Felin yn Nhrefor. Go brin bod yr honiad i gymaint â hynny gael eu cario yn wir. Tueddiad pob stori o'r fath, siŵr iawn, yw ymestyn tuag at fod yn anghredadwy. A pham lai, onidê?

'Cymaint ag ugain o ŵyn ar y to,' meddai William Roberts. Roedd John Phil yn dweud iddo gario hyd at bymtheg ar hugain (35) o ŵyn ar do'r hen foto. Yn y dyddiau difyr hynny, byddai'r anifeiliaid hwythau – eu perchnogion felly! – yn talu fel pawb arall. Chwe cheiniog i fochyn, chwe cheiniog i lo, a chwe cheiniog i sachaid o flawd.

Y mochyn anfodlon

Stori ddifyr yw honno am y tro y cariwyd rhyw ddwsin o foch o bentre'r Ffôr i Bwllheli. Ni chrëwyd y Moto Coch i fod yn lorri anifeiliaid, a'r unig le addas – a diogel – i roi'r creaduriaid rhochlyd a budur oedd ar y to agored. Cafwyd trafferthion mawr i'w llwytho a'u clymu'n sownd yn y seddau a'r canllaw isel a amgylchynai'r daflod wyntog.

Stopiodd y bws i godi rhywun gerllaw Ysgol Plas-gwyn, a dyna pryd y penderfynodd un o'r moch ymryddhau o'i gaethiwed yn y nefolion leoedd, neidio i'r lôn, a'i heglu hi'n chwimwth am Dre-fain a thref Pwllheli.

Roedd hi'n olygfa ryfeddol. Y mochyn yn tuthio'n fân ac yn fuan ar ganol y lôn bost, a'r ffarmwr rhislyd ac un neu ddau o'r teithwyr mwyaf heini'n ei ymlid i geisio'i ddal a'i lusgo'n ei ôl i'r ddalfa. Aed cyn belled â Chreigiau Iocws cyn dal y porcyn powld. Fe'i hebryngwyd yn ei ôl i'w briod le ar do'r Moto Coch. Ac oedd yn wir, roedd yr omnibws dros dri chwarter awr yn hwyr yn cyrraedd Pwllheli, a llawer o'r teithwyr yn grwgnach.

Piso mochyn

John Phil oedd yn gyrru'r Moto Coch a gariai nifer o foch tewion ar ei do, o'r farchnad yng Nghaernarfon i'r lladd-dy yn Nhrefor. Pan stopiodd y bws yn Swan, Pontllyfni, daeth un o'r teithwyr, dyn diarth, ato i'r pen blaen yn cwyno'n enbyd bod to'r bws yn gollwng a glaw yn diferu am ei ben. Edrychodd John Phil tua'r nefoedd a gweld nad oedd cwmwl yn y nen heb sôn am unrhyw law. Roedd hi'n ddiwrnod sych, heulog, awyr las.

Sylweddolodd yn syth mai'r moch ar do'r bws oedd yn 'glawio' – efallai bod y creaduriaid condemnedig yn rhyw synhwyro eu bod o fewn llai nag awr i gyllell y bwtsiwr – ac yn gwlychu lond eu trowsusau!

Dywedodd John wrth y teithiwr tamp am symud i sedd arall.

Llo Tan Ceiri

Un tro cafodd John Phil ar ddeall bod Robin Tan Ceiri, un o gymeriadau mwyaf lliwgar Llanaelhaearn, yn bwriadu mynd â llo i'r mart ym Mhwllheli drannoeth, a hynny ar y Moto Coch. Popeth yn iawn, oherwydd roedd yn arferiad cario ambell i lo yng nghefn y bws.

Dychmygwch y sioc gafodd John druan wrth nesáu at ddrws y Ring yn y pentref, a gweld Robin Tan Ceiri yno'n ei ddisgwyl yn dalog hefo clamp o heffar, ac nid llo, wrth bwt o raff.

Pryd hwnnw roedd Tan Ceiri
  Yn ffarmwr gorau'r lle,
A cheisiai ffafr John Philip
  I fynd â llo i'r dre;
Pan ddaeth y bws i'r pentra
  'Rhen John a gafodd fraw
Pan welodd Bob Tan Ceiri
  A heffar yn ei law!

          (Wil Parsal)

Doedd dim amdani ond codi'r heffar ar stepan y bws, ei chlymu'n dynn, a'i chludo'r holl ffordd i Bwllheli. Hyn a wnaed, er gwaethaf y stryffîg a'r holl frefu arswydus, er mawr ddifyrrwch i bawb oedd ar y bws.

Fel rheol, moch ac ŵyn a roid ar do'r bws, a phetai'n rhaid cludo llo fe'i rhoid mewn sach, a'i glymu'n ddiogel yn nghefn y bws. Dyna'n wir a wnaeth ffarmwr o Glynnog un tro, ond pan aeth i nôl y llo wedi cyrraedd Pwllheli, doedd yno ond sach gwag yn ei ddisgwyl. A fonta, meddai, wedi clymu'r rhaff drosodd a throsodd! Cafwyd hyd i'r llo yn pori'n braf ar fin y ffordd rhywle tua Phont Gydrhos, bum milltir o'r dref.

Mae rhagor rhwng cwlwm a chwlwm fe ddywedir, a'r gwahaniaeth, yn ôl hogia'r cychod yn Nhrefor, yn unman yn fwy na rhwng cwlwm llongwr a chwlwm ffarmwr!

Glo du a gwyn!

Un tro, cariai Dic Moto Coch bum sachaid o lo ar y bws, a'r merched, yn arbennig, yn osgoi cyffwrdd y sachau â'u ffrogiau rhag eu baeddu.

'Be haru chi deudwch?' gofynnodd Dic yn ddireidus, 'rydach chi mor gysetlyd â hen beunod. Efo glo du maen hw'n gneud sebon, i ferchaid fel chi gael 'molchi! Mae na lo du a gwyn ar y bws 'ma hefyd!'

Gwelid rhai o'r teithwyr chwilfrydig yn agor cegau'r sachau glo yn chwilio am yr wythfed rhyfeddod hwnnw, glo du a gwyn, ond heb ei gael. Datgelwyd cyfrinach Dic yn y man. Roedd wedi treiglo'n berffaith. Llo du a gwyn oedd ganddo mewn sach yng nghefn y bws!

Lifrai Dic Moto Coch

Pan ddechreuodd Dic Tŷ Gwyn weithio i'r Moto Coch ym 1922, a hynny fel condyctor, cafodd fedydd tân ar ei ddiwrnod cyntaf un. Diwrnod Ffair G'lamai (yr hen Galan Mai ynghanol y mis) ym Mhwllheli oedd hi, a fonta yng ngofal y pwrs a'r gloch, ac nid wrth y llyw, er mwyn iddo gael ei draed dano cyn ymafael mewn gorchwylion mwy dyrchafol.

Ond ni sylweddolodd Rhisiart bod condyctio'r Moto Coch yn golygu llawer mwy na chloch a cheiniogau. Yno, yn ei lifrai crand, 'siwt nefi blŵ newydd sbon', y gwelwyd y creadur druan yn laddar o chwys a'r bws yn bochio gan deithwyr.

Roedd rhan o'i lwyth yn glyd mewn sachau, pump ohonyn nhw yn llawn o flawd. Bu'n rhaid stopio'r confeans o flaen giât Mur-cwymp, a Dic druan yn ei stryffaglio hi yn cario'r pum sachaid trwm i'r iard. Dychwelodd i'r bws a'i wallt a'i wyneb a'i siwt nefi blŵ yn beilliad-glaerwyn.

'Roeddwn i fel melinydd am y gweddill o'r dydd!'

Atgofion John Hughes

A dyma John Hughes, cyn-ysgolfeistr Llanaelhaearn, a Chadeirydd y cwmni adeg dathlu'r hanner canmlwyddiant ym 1962 yn parhau â stori amrywiaeth cargo'r Moto Coch. Meddai:

'Amrywiol iawn fyddai'r llwyth a gludid ar y bws ambell waith. Gwelech bob math o nwyddau, a hyd yn oed anifeiliaid. Ni synnech glywed tri neu bedwar o foch bach yn rhochian mewn sach, a llo mewn sach arall, a'i ben allan yn edrych yn hurt arnoch ar y fynedfa, a chwithau'n gorfod camu drosto i gael lle i roi eich clun i lawr.

Yna sacheidiau o flawd, basgedaid o boteli ffisig o syrjeri y meddyg, a llu o fân nwyddau at wasanaeth dyn ac anifail. Yn wir, roedd y bws fel llong marsiandwr yn dwyn ei hymborth o bell. A neb yn cwyno, oherwydd mai ein bws 'ni' oedd o.'

Clawr Amserlen y Moto Coch, Hydref 1931. Sylwer ar y geiriau "Red Motor (Motor Coch)".

17.

MOTO NI

Mae Dic Moto Coch yntau, mewn sgwrs ddifyr dros ben gyda Dyfed Evans yn *Y Cymro*, yn pwysleisio'r egwyddor hanfodol o 'moto ni' hefyd. Pan gafodd o ei gyfle cyntaf un, ym 1922, i yrru'r Moto Coch, daeth tyrfa fawr o bentrefwyr Trefor allan i Ben Hendra i'w weld yn cychwyn. Taniodd yntau injan y Karrier yn teimlo braidd yn nerfus bod cymaint o lygaid yn ei wylio. Roedd y dorf am weld a oedd y gyrrwr newydd yn 'tebol ai peidio, yn gyfrifol, ac yn haeddu cael dreifio'r Moto Coch. 'Eu bws nhw oedd o; nhw oedd piau fo, wrth gwrs.'

Ac roedd gan Dic feddwl y byd o'r Karrier. Roedd yn fws cryf 'gyda'i deiars solat ar y ffordd metlin'. A'r fath bŵer! Gallai Dic gofio'i mentro hi i fyny Allt Uwchlaw'r Ffynnon o Lanaelhaearn am Lithfaen, a llond y bws o deithwyr.

Ac nid teithwyr cyffredin, dalltwch! Roedd ganddo lwyth arbennig iawn ar do'r bws – Band Trefor, a'u holl offerynnau, ar eu ffordd i Lithfaen i gadw oed. Daeth pobl Llanaelhaearn i'r lôn yn un haid i weld yr olygfa ryfeddol, ac roeddan nhw'n gwbl sicr y byddai'r Karrier wedi hen nogio cyn cyrraedd giât Uwchlaw'r Ffynnon, hanner ffordd i fyny'r allt. 'Ond mi chwipiodd i fyny'r allt serth ar ei union ...' Dyna i chi beth oedd bws.

Bagad gofalon

Ond doedd pethau ddim yn fêl i gyd chwaith, hyd yn oed yn achos y Karrier hoff. 'Efallai y buasai y bws yn taflu ei tshaen, efallai yr âi dŵr i beipiau y lampau mawr carbeid a gorfod bustachu i chwythu drwyddynt yn y tywyllwch; efallai y diffoddai y lampau bach paraffîn yn y gwynt – a rhwng codi llo i hwn a dosbarthu blawd i arall, yr oedd yr amser yn mynd gwaetha'n eich dannedd rywsut. Fe gymerai ddwyawr i fynd o Bwllheli i Gaernarfon bryd hynny. Oherwydd i lamp baraffîn y golau coch ddiffodd, neu fyrnar carbeid wrthod tanio, bu Richard mewn trybini hefo'r gyfraith lawer tro.' Does ryfedd na ellid, bryd hynny, ddibynnu gormod ar yr amserlen swyddogol!

Nwydd pwysig arall gâi ei gario ar y Moto Coch ar gyfer trigolion Llanaelhaearn a Threfor oedd cwrw, a hynny mewn cratiau o boteli a adewid gan y bragwr yng nghwesty'r Eagles yng Nghaernarfon ar gyfer eu cludo i dafarn y Ring yn Llanaelhaearn. Byddid yn eu llwytho a'u clymu'n dynn ar do'r bws, a'r condyctor yn eu gwarchod â llygad barcud. Ond ni fedrai hwnnw na neb arall rwystro'r hyn a wnâi haul y nef i boteli cwrw'r Ring, oherwydd ar dywydd poeth byddai gwres yr haul yn peri cyffroi'r mân swigod yn y cwrw, a'r rheini'n eu tro yn poeri'r corcyn o geg y botel. Ceid golygfa ryfeddol o'r poteli yn ffrothio ar y to gan adael, meddid, afon o gwrw melyn ar y lôn wrth dîn y Moto Coch! Gor-ddweud eto, beryg.

Vimto

Doedd dim cymaint o gic i'r ddiod roddodd fod i enw newydd yn y fro.

Tua hanner y ffordd rhwng Trefor a Phwllheli ceir pont yn croesi Afon Erch. Enw'r hen bont oedd, ac ydi, Pontrhyd-goch, a gerllaw iddi ceir tŷ o'r un enw. Hanner canrif a rhagor yn ôl, cyn lledu a sythu rhywfaint ar y lôn, roedd yno dro cas rownd talcen tŷ Pontrhyd-goch.

Daeth y tŷ ar werth. Un bore gwelwyd ei fod wedi ei werthu i ryw Sais. Syndod o'r mwyaf oedd gweld bod y gŵr hwnnw wedi agor caffi yn y tŷ – caffi mewn man anghysbell ac ar dro peryglus yn y ffordd. Ar fur y tŷ roedd arwydd, '*Teas & Vimto*'.

O'r dwthwn hwnnw bedyddiwyd Pontrhyd-goch gan Dic Moto Coch ag enw newydd, os llychwin – '*VIMTO VALLEY*' – ac fel '*Vimto Valley*', gwaetha'r modd, y daeth cenedlaethau o blant bws ysgol i adnabod y lle am flynyddoedd.

Mae'n fymryn o gysur nad yw'r enw bellach, hyd y gwn i, ar dafod y genhedlaeth bresennol o blant ysgol. Dagrau pethau ydi nad yw Pontrhyd-goch 'chwaith!

Dic Moto Coch yn y cysgodion dan big ei gap.

18.
GWELL TREFN

Gyda'r symud o'r iard ym Maesyneuadd i Gae Coch cafwyd llawer gwell trefn ar bethau yn hanes y Moto Coch. Roedd John Jones a'r criw, ynghyd â chymorth R.Lloyd Jones, yr ysgolfeistr, wedi gwneud gwyrthiau yn cadw'r faner yn cyhwfan drwy gydol dyddiau anodd y dauddegau. Rŵan roedd asgwrn yng ngheg y llong.

Dan arweiniad cadarn Robert Ellis McClement yn y swyddfa a John Jones yn y garej, wynebwyd y dyfodol yn llawer mwy hyderus. Daeth rhyw don o frwdfrydedd, tebyg iawn i frwdfrydedd 1912, i olchi dros bobol y Moto Coch. A chyda cynnydd blynyddoedd cynnar y tridegau, ailafaelodd y cyfarwyddwyr a'r staff ynddi gydag asbri newydd. Meddai William Roberts:

'Hawdd oedd canfod bod y cwmni erbyn hyn yn sicr o'u ffordd. Yr oedd graen dda ar y bwsiau, ac arwyddion y byddai angen am dŷ helaethach i'w cadw yn fuan iawn ... Yr oedd y fasnach yn y chwarel yn llawer mwy sefydlog nag y bu. Darfu'r gystadleuaeth ar y ffordd o Drefor i'r briffordd hefyd. Gwaharddwyd i gwmni'r Crosville redeg eu bwsiau trwy bentref Trefor.'

David Jones, Tyncoed, Clynnog, oedd Cadeirydd y Bwrdd, ac roedd ganddo dîm o gyfarwyddwyr, amrywiol eu profiad a'u harbenigedd. Dyma'r enwau am y flwyddyn 1933.

Robert Jones, Clynnog
William Hughes, Clynnog
H.W. Davies, Pontllyfni
W.E. Jones, Clynnog
John Evans, Clynnog
Capten D. Griffith, Gwesty Beuno Sant, Clynnog

Hugh Pritchard, Nant Bach, Trefor
William Williams, Trefor
John R. Jones, Trefor (Trysorydd)
R.D. Cadwaladr, Trefor
William Thomas, Llanaelhaearn.

Ac er bod y swyddfa a'r garej, y bywyd a'r bwrlwm, ym mhentref Trefor, mae'n ddiddorol sylwi mor niferus a chryf y parhâi diddordeb Clynnog yn y cwmni. Ym 1936 etholwyd Capten Griffith, y Plas (enw pobol Clynnog a'r fro ar Westy Beuno), yn Gadeirydd y Cyfarwyddwyr. Yn yr Ysgol Ramadeg yng Nghlynnog y cynhaliwyd pob un o Gyfarfodydd Blynyddol y cwmni o 1912 hyd y flwyddyn 1990, pan y'i symudwyd, oherwydd diffyg diddordeb, i swyddfa'r Moto Coch yn Nhrefor. Cynhaliwyd Cyfarfod Blynyddol 1996 yn y Ganolfan yn Nhrefor.

Elw da o'r diwedd

Roedd pethau rŵan yn gwella'n ariannol. Er na thalwyd llog ym 1931/32 a 33, roedd yna arian wrth law i dalu i Hendre Bach am godi'r garej yng Nghae Coch, ac i brynu bysus i gryfhau'r fflŷd. Cafwyd elw o £346 ym 1933, a dechreuwyd gweld gwerth cael ysgrifennydd llawn-amser brwdfrydig a thebol. Roedd trichant a hanner o bunnau'n elw pur sylweddol bryd hynny i gwmni cymharol fychan a chyfyngedig ei adnoddau a'i gylch llafur. Y flwyddyn ddilynol (1934), dechreuodd pethau symud o ddifrif ac fe adlewyrchwyd hynny yn yr elw sylweddol iawn o £1,247. Penderfynwyd talu llog am y tro cyntaf ers rhai blynyddoedd, llog o 5%.

Talu llog bob blwyddyn fu hanes y cwmni weddill y tridegau a hwnnw'n cynyddu'n ara deg, ond cyson. Byddai'n rhaid aros tan wedi'r Ail Ryfel Byd cyn i'r Moto Coch ddod i'w oed go iawn a thalu llogau anferth ac anhygoel. Am y pedair blynedd o 1935 hyd 1938 talwyd llog o 7½%, a'r elw blynyddol yn aros yn gyson ar draws y mil o bunnau (e.e. elw o £996 ym 1936). Ym 1939 cafwyd elw o £1,321 a thalwyd llog o 12½%. Bu yna wario sylweddol ar fysus a chynyddwyd cyfalaf y cwmni i £2,000 (4,000 o gyfranddaliadau am 10 swllt yr un). Erbyn 1940 roedd 3,356 o'r cyfranddaliadau hynny wedi'u gwerthu.

Bysus y tridegau

A'r bysus? Erbyn tua chanol blynyddoedd y tridegau roedd gan y cwmni fflŷd sylweddol o fysus gyda'r enw Leyland yn hawlio'r orsedd. Y ddau frenin oedd y Leyland Lion 32-sedd newydd sbon danlli, a'r Leyland Tiger ail law, eto gyda'r un nifer o seddau. Prynwyd Leyland Cub newydd sbon gyda 25 o seddau, a Leyland Lioness, 28 o seddau, yn ail law o Creams Llandudno.

Ac nid dyna'r cyfan chwaith. Caed ar Gae Coch hefyd Dodge, GMC, Lancia a Guy (bach). Tua 1936/37 neidiwyd i'r dwfn a phrynwyd tri Opel newydd sbon o wneuthuriad Almaenig, hyn hefyd yn arwydd bod y cwmni'n llwyddo'n aruthrol. O Leatherhead, Llundain y'u prynwyd, gyda John Jones ei hun yn dreifio dau ohonynt yr holl ffordd o Lundain i Drefor, a Dei Cadwaladr y llall.

Yr hen garej o goed a sinc (Garej Isa) gyda'r fflyd o chwech o fysus y Moto Coch, 1935

19.
DIC MOTO COCH

Mae pawb o bobl y fro sy'n ganol oed a hŷn yn cofio'r rhan fwyaf o staff y cwmni o'r tridegau i'r chwedegau. Rhoddodd llawer ohonyn nhw oes gyfan o wasanaeth i'r Moto Coch, a hwnnw'n wasanaeth cydwybodol a thrylwyr.

Y cymêr yn eu plith, yn ddi-ddadl, oedd Dic Tŷ Gwyn, neu Dic Moto Coch i gylch ehangach, gŵr direidus ac, ambell dro, eitha 'stumddrwg, un fu'n gyrru'r Moto Coch o 1922 hyd 1958.

Mab oedd Dic i Charles Williams a'i briod, Tŷ Gwyn, Capel Uchaf, Clynnog. Mae'r rhan fwyaf ohonom yn ei gofio yn byw yn Hafan, Llanaelhaearn, yr isaf o dri bynglo ar ochr y ffordd rhwng gwaelod Allt Llan a Melin Penllechog. Roedd yn briod â Nettie, merch Robert a Margaret Mary Evans, Fron-deg, Llanaelhaearn, cystadleuydd peryglus mewn gyrfa chwist ac un a gymerai'r fath ornest â rhyw frwdfrydedd rhyfelgar.

Richard Williams (chwith), y dihafal Dic Moto Coch, yn rhoi ei bwys ar ei annwyl Leyland

Ganwyd iddynt ddwy ferch, Margaret Rhiannon a Beryl Olive, a dau fab. Does ond ychydig flynyddoedd ers i'r meibion farw – Richard Leonard (Len Hafan), a gadwai'r Ring (Tafarn yr Eifl) yn Llanaelhaearn, a Robert Henry (Roy), a gadwai fusnes cerrig beddi hynod o lwyddiannus yng Nghricieth.

Daeth profedigaeth fawr i ran y teulu ynghanol blynyddoedd yr Ail Ryfel Byd. Fel hyn y cofnodir y digwyddiad, mewn dau gofnod moel, yn Llyfr Log Ysgol Llanaelhaearn am y flwyddyn 1942.

'Hydref 12: Tra'n chwarae gyda'i brawd a'i chwaer mewn cae y tu allan i'r pentref y Sadwrn diwethaf cyfarfu Beryl Olive Williams, Hafan, geneth fach bedair oed, â damwain angeuol.

Hydref 14: Casglodd y plant ddeuddeg swllt a chwe cheiniog tuag at gael blodeudorch ar fedd Beryl. Cymerwyd yr oll o'r plant i'r angladd a chymerwyd rhan mewn canu ganddynt.'

Claddwyd y ferch fach ym medd ei thaid a'i nain ym mynwent Llanaelhaearn, a thorrwyd y geiriau hyn ar y garreg:

'Byr fu ysplander y boreu,
Diweddwyd y dydd mewn cymylau.'

Dic a Ficer Clynnog

Roedd y Moto Coch ar gychwyn o'r dre yn hwyr un pnawn Sadwrn, a Dic wrth y llyw. Eisteddai yn fodlon braf yn sedd y gyrrwr, yng nghysgod cerflun mawr Syr Huw Owen ar y Maes, yn disgwyl caniad cloch y condyctor, pan ddaeth Person Clynnog ato â'i wynt yn ei ddwrn ac yn gofyn ffafr ganddo.

'Fasach chi'n meindio, Richard, 'taswn i'n picio at y

chemist i nôl *laxatives*? Fydda i ddim dau chwinciad.'

'Popeth yn iawn,' atebodd Dic yn glên, 'mi 'sgwyliwn ni wrthach chi.' Ac i ffwrdd â'r Person i geisio moddion rhyddhad o'i rwymedigaeth.

Rhyw bum munud yn ddiweddarach daeth un o'r llu teithwyr i flaen y bws at Dic a gofyn yn ddigon piwis, 'Pryd fyddwn ni'n ei chychwyn hi am adra, Dic?'

Atebodd y gyrrwr, 'Cynta byth ag y cyrhaeddith yr hen Berson Clynnog 'na. Mae o 'di mynd i chwilio am bils-cachu-sydyn, ac mae'r hen ddiawl yn tin-droi yn rhywle'.

'Rydw i yma, Richard,' sibrydodd llais mwyn o'r sedd y tu ôl iddo, gan beri i Dic ymateb yn gegrwth.

'Wel, mi awn ni 'ta' – a hynny er boddhad llond bws o deithwyr rhadlon.

Bws ar dân!

Roedd y Moto Coch, a Dic wrth y llyw, yn teithio'n braf rhwng Aberdesach a Chlynnog, yn cario 32 o deithwyr ar y pryd, ar eu ffordd adref o Ffair Aeaf Caernarfon ar y Sadwrn cyntaf o Ragfyr, 1930. Wrth gwt y bws, ar ei foto beic, teithiai Hugh Williams, contractor, o Foduan.

Yn ddisymwth, gwelodd fflamau'n saethu tuag ato o dan y bws, ac mewn amrantiad roedd wedi goddiweddyd y bws a rhybuddio'r gyrrwr o'r sefyllfa adfydus. Stopiwyd y bws ger ffarm Cefngwreichion (dyna enw addas, onidê?), ac fe'i gwagiwyd o'i deithwyr mewn dim o amser. Torrwyd ffenestri'r cerbyd i alluogi pawb i ddod yn rhyddr. Llewygodd rhai o'r merched.

Flynyddoedd yn ddiweddarach honnai Dic bod 80 o deithwyr ar y bws, ond 32 yw'r nifer a roir gan bapurau newydd yr *Herald Cymraeg* a'r *Caernarfon & Denbigh Herald*. Yn y *Genedl Gymreig* dywedir bod 'bws llawn' o deithwyr.

Aeth nifer ohonynt ati ar unwaith i gario bwcedeidiau o ddŵr i geisio difa'r fflamau, ond heb lwyddiant. Yn wir, ffrwydrodd y tanc petrol yn fuan, ac fe ddinistriwyd y cerbyd yn llwyr o fewn ugain munud. Bu corpws yr hen fws yn gorwedd yn segur yn Nhyncoed, Clynnog, am wythnosau wedi'r ddamwain.

Achubwyd yr holl deithwyr ond anafwyd tri. 'Derbyniodd Mrs. Lloyd, Fourcrosses, niweidiau i'w ffêr', ac anafodd Miss Roberts, Rhydyclafdy, ei choes.

Llawer mwy difrifol, fodd bynnag, oedd anafiadau Dic y gyrrwr. Disgrifiwyd yr hyn a ddigwyddodd fel hyn:

'Byrstiodd y beipan betrol ... a'r bws yn mynd ar dân ... a'r fflamau yn chwyrlïo o'u cwmpas ... gwthiodd ei fraich drwy'r fflamau i gau'r tap petrol a chyffyrddodd ei fraich mewn haearn gwynias. Llosgodd drwy wythïen, ond yn ffodus roedd yr hen Ddoctor Rowlands, Llanaelhaearn, ymysg y teithwyr a llwyddodd i stopio'r gwaed drwy glymu dwy garrai esgid am fôn braich Richard. Bu Richard am 21 wythnos heb fedru defnyddio ei fraich ar ôl y ddamwain.'

Baw ieir a phob rhyw anifail

Roedd Dic Moto Coch yn glamp o gymêr, ac yn 'chwedl' ymhlith gyrwyr bysus Sir Gaernarfon. Ceir nifer fawr o hanesion difyr amdano, ac erbyn heddiw mae'r ffin rhwng y gau a'r gwir wedi teneuo'n arw. Dyma'r enwocaf o'r hanesion hyn.

Hyd yn gymharol ddiweddar byddai nifer fawr o weithwyr ffatrioedd Bolton yng ngogledd Lloegr, a'u teuluoedd, yn dod i

Dau yrrwr direidus : Raymond Antill (chwith) a Richard Williams (Dic Moto Coch)

Glynnog ar eu gwyliau haf, a hynny'n ystod yr un wythnos bob blwyddyn. Mawr fyddai'r edrych ymlaen at ymweliad, ac arian, y 'Boltons', a mawr fyddai'r paratoi ar eu cyfer. Cofiaf glywed llawer o sôn, pan oeddwn blentyn, am 'wsnos y Boltons' (yn ogystal a'r 'Burnleys' os nad ydw i'n methu) yng Nghlynnog.

Un tro aeth llond Moto Coch o'r Boltons ar daith drwy Fwlch Llanberis ac i olwg harddwch ysblennydd cribau Eryri. Dic oedd wrth y llyw. Dic hefyd oedd y tywysydd dysgedig. Ond yn ddiarwybod i Dic druan roedd gwraig o Glynnog wedi dod gyda'r Boltons uniaith Saesneg ar y daith, a dyna sut y cawsom ninnau'r hanes.

Doedd gan Dic ddim clem beth oedd enwau'r llynnoedd a'r mynyddoedd a welid, ond gallai deimlo'n ddigon hyderus gan nad oedd (fe dybiai) Gymry yn eu plith. Dechreuodd enwi'r mynyddoedd gydag arddeliad ... 'Mynydd Clustia Mochyn ... Mynydd Crempog Felan ... Mynydd Cachu Iâr ... Mynydd Cynffon Macrall ...' ac ymlaen ac ymlaen wrth basio'r llynnoedd, a mynd yn llwyr dros ben llestri ... 'Llyn Llymru ... Llyn Piso Cath ...', a'r Gymraes o Glynnog yn gegrwth.

Rhyfeddai'r Boltons uniaith at y fath wybodaeth o ddaearyddiaeth Cymru, a pharodd hyn ychwanegiad nid ansylweddol at gil-dwrn y dreifar athrylithgar.

Trawsblannu

Un pnawn gwlyb o wanwyn roedd Dic Moto Coch wedi cludo llond bws o aelodau rhyw gapel yn Arfon i ben draw Llŷn. Roedd yn amgylchiad pwysig, sef sefydlu eu gweinidog yn weinidog yn ei ofalaeth newydd yng ngwlad Llŷn.

Tra oedd ei deithwyr o Arfon yn mwynhau'r cyfarfod sefydlu yn y capel, a'r sgram wrth fyrddau'r festri i ddilyn, bodlonodd Dic ar dreulio teirawr yn gorwedd ynghwsg ar sedd gefn yr omnibws. Daeth yn amser i bobl Arfon fynd adref, a dyna pryd yr agorwyd holl ffenestri'r nef i arllwys y glaw yn genlli.

Deffrôdd Dic o'i drwmgwsg fel y dychwelai ei deithwyr i'r bws. Meddai un ohonynt gan ysgwyd y dŵr oddi ar ei ambarél:

'Sôn am dywydd! Does dim rheswm mewn dŵad yr holl ffordd i fama i wlychu a chael niwmonia ...'

Ac meddai Dic yn syth, o gofio'r amgylchiad:

'Dyma'r union fath o dywydd sydd ei angen i drawsblannu ...'

Gobeithio nad oedd yn cyffelybu'r gweinidog a 'drawsblennid' i gabaitsen!

Ffarwelio

Bu farw Dic yn Ysbyty Môn ac Arfon ar y 29ain o Awst, 1958, yn 61 oed, wedi rhagor na 35 o flynyddoedd o wasanaeth hynod i gwmni'r Moto Coch. Tyfodd llawer o chwedloniaeth o'i gwmpas, ac aeth modfeddi'n lathenni, a llathenni'n filltiroedd, a hynny'n aml iawn gan Rhisiart ei hun! Yn wir, dywedodd un wraig o Efrog Newydd, y bu ei thad yn ysgolfeistr yn Llanaelhaearn, fod darllen yn *Y Cymro* am droeon rhyfeddol ac ymadroddion ffraeth Dic wedi bod yn foddion iddi wella o'i hafiechyd. Bu Dic yn fwy o les iddi, meddai, na chynghorion meddygon America fawr. Ac ar fore angladd yr hen yrrwr ffraeth, cyrhaeddodd torch o flodau o dwnti'r Iwerydd yn enw'r wraig arbennig honno. Oedd yn wir, roedd gan Dic Moto Coch ei ffans ym mhedwar ban byd.

Daeth torf fawr i dalu'r gymwynas olaf i un oedd yn gymaint o gymwynaswr ei hun, yn yrrwr ac yn negesydd, yn gyfaill a diddanwr. Cariwyd ei arch gan wyth o ddreifars y Moto Coch – William Williams, Alun Roberts, Hugh Roberts, John Philip Jones, Donald Cullen, Tomi C. Jones, Tom Jones a Thomas Williams.

20.
RHAGOR O GYMERIADAU

Gyrrwr arall bytholwyrdd gyda'r Moto Coch oedd John
Philip Jones (John Phil), yn frodor o Glynnog, ond yn byw
yn Nhrefor 'r ôl priodi â Gwyneth Thomas o'r pentref
hwnnw. Bu yng ngwasanaeth y cwmni am dros hanner canrif
(o ganol y 1920au), a hyd yn oed wedyn yn achlysurol.

Y Dodge yn methu â 'dojio'

Fo oedd yn gyrru'r bws Dodge hwnnw, yn y cyfnod rhwng y
ddau Ryfel Byd, a aeth ar ei ben i'r wal rhwng pen lôn
'Stumllech a chapel Seion, Gurn Goch. Mae nifer o luniau
rhagorol, o bob ongl, o'r bws hwnnw, hanner y ffordd i
fyny'r wal, ei drwyn yn doredig, a dyrnaid o bobl gerllaw yn
rhyw gydymdeimlo â'i dynged. Dywed rhai mai llwynog
groesodd y ffordd o'i flaen, ac eraill ddafad, a bod John
druan wedi ceisio osgoi'r creadur. Roedd pobl y cwmnïau

Y Dodge a aeth 'â'i drwyn ar y maen' rhwng Ystumllech
a chapel Gurn Goch.

bysus eraill yn cael modd i fyw o weld torri crib y Moto Coch, ac yn honni mai chwannen yn croesi'r ffordd fu achos y gwrthdrawiad!

O dro i dro bu John Phil yn dweud ei hanes, a hanes y cwmni, ar dudalennau'r papurau lleol, ac fe gynhwysir y rhan fwyaf o'r rheini yn y llyfr hwn. Bu farw ym 1986 yn 76 mlwydd oed.

Dreifars

Brodor o Lithfaen oedd Alun Roberts, ac ar un adeg, pan yn ifanc, bu ganddo'i fws ei hun yn Llithfaen cyn ymuno â staff y Moto Coch. Roedd yn byw ym Mryn Iddon, Llanaelhaearn, a magodd dyaid o ferched. Bu farw ym 1986 yn 85 mlwydd oed.

Un arall o wŷr Llanaelhaearn a yrrai'r Moto Coch cyn y Rhyfel oedd William Williams, Tan-llan, ac fe ddywedir bod ganddo stôr anhygoel o straeon am y cwmni a'i bobl a'i

Pedwar o'r hen lawiau. O'r chwith, Hugh Roberts (Huw Llwyn), Alun Roberts (Bryn Iddon), William Williams (Wil Plas Bach), a John Philip Jones (John Phil)

Dafydd Tir Du (chwith) a Griffith Moto Coch – condyctor a gyrrwr

droeon trwstan. Ac fel mae'n digwydd yn llawer rhy aml, does neb wedi'u cofnodi, gwaetha'r modd.

Cyfeirid ato fel Wil Plas Bach, a hynny meddid, yn ddifyr ddigon, oherwydd y byddai ei dad yn dweud am y cartref yn Nhan-llan – 'mae hwn fel plas bach, ydi'n wir!' Gallai droi ei law at bopeth, a bu'r cwmni'n hynod o ffodus o'r herwydd. Dyna pam y bu iddo yrru llai yn ddiweddarach a gwneud llawer o waith coed a gwaith trwsio ar y safle – yn dasgmon o'r radd flaenaf. Bu farw ym 1980 yn 85 mlwydd oed.

Un o yrwyr y cyfnod hwn oedd Hugh Roberts, Talarfor, Trefor (Huw Llwyn). Enw cartref ei febyd gerllaw Felin Plas Du yn Eifionydd oedd y 'Llwyn' hwn. Cofiaf yn dda y byddai ef yn smocio cetyn a'i lond o faco shag a hwnnw'n gymylau drewllyd drwy'r bws. Mynych, wrth deithio 'nôl a blaen i'r ysgol ym Mhwllheli, y teimlais yn sâl o'r herwydd. Roedd iddo'r gair o fod yn yrrwr bysus eithriadol o dda. Bu farw ym 1971 yn 63 mlwydd oed.

Un o'r gyrwyr cynnar oedd William Davies, Tyddyn Coch, a aeth, maes o law, i agor ei garej ei hun yn Llanberis. Roedd ef yn frawd i Norman Davies, Tyddyn Coch.

Fel Griffith Moto Coch neu Guto Graig neu Guto Ffôr yr adwaenid Griffith Jones, un arall o'r hen yrwyr. Yn frodor o'r Rhiw yn Llŷn, ef oedd gŵr cyntaf Annie Strello, Graig.

Bu Rolant Jones, Pentre Bach, Llanaelhaearn, hefyd, am gyfnod byr, yn yrrwr, cyn mynd i weithio i'r Ffatri Laeth yn Rhydygwystl.

Fel y nodwyd eisoes, bu Aled Thomas, Bryn Coch, yntau'n gyrru yn ogystal â gyrru'r Trefor Blue.

Ychydig sydd bellach yn cofio Stanley Sharpe, un arall o

yrwyr cynnar y Moto Coch. Roedd yn ddyn eithriadol o dal. Ymadawodd â'r fro cyn y rhyfel ac aeth i weithio i gymdeithas foduro'r A.A. yn Southampton. Bu ei chwaer, gyda'i gŵr, yn cadw siop gig RM Jones yng Nghaernarfon.

Y condyctors

Roedd yna lawer o fynd a dwad ymhlith y condyctors, a llawer ohonynt yn gweithio'n achlysurol yn unig, yn bennaf ar Sadyrnau. Dyna oedd sefyllfa Ysgrifennydd y Cwmni, John F. Thomas – rhyw bres poced bach go handi yn ychwanegol i'w gyflog yn y Gwaith.

Bu Griffith Charles Davies, Gorffwysfa, David Jones, Tir Du a Gwilym Evans, Stryd Rafon, hefyd yn gondyctors y Moto Coch. Byddai gan Gwilym Evans un gorchwyl dreifio pwysig hefyd. Bob nos Wener byddai'n gyfrifol am gludo llond bws o gariadon ac eraill i bictiwrs y Plaza ym Mhen-y-groes. Bu hon yn daith achlysurol am flynyddoedd ar ôl y rhyfel hefyd, hyd nes i'r sinema gau yn y 1960au, ac yna'i dinistrio gan dân cyn diwedd y ganrif.

Y Lôn Newydd

Ym 1936, wedi blynyddoedd maith o ymgyrchu, a chwmni'r Moto Coch ar flaen y gad yn yr ymgyrch honno fel y gallesid disgwyl, cafwyd ffordd newydd i Drefor ar ochr ddwyreiniol y pentref. Fe'i galwyd, ac fe'i gelwir, yn briodol ddigon, yn Lôn Newydd, a chafwyd arwydd ar ben y lôn yn datgan i'r byd ei bod yn arwain i 'Trefor Only'!

Cyn dyfodiad y lôn newydd heibio Capas Lwyd, y drefn fyddai, ers canol y dauddegau, i'r Moto Coch stopio ym Mhen-lôn a pheidio â throi i lawr am bentref Trefor. Byddai hyn yn arbed llawer o amser a llawer o risg ar y tri chwarter milltir o elltydd serth. Arferai'r cwmni redeg 'gwasanaeth wennol', fel y'i gelwir heddiw, o Ben Hendre i Ben-lôn. Fe'i gelwid bryd hynny yn *'tram service'* a byddai'r 'tram' wedi ei barcio'n daclus o flaen Manchester House, y siop 'sgidiau, a'i drwyn am Drofa a'r moto mawr fyddai'n ei ddisgwyl ar ben y lôn.

Gorfodid y Trefor Blue i barcio gyferbyn, o flaen 46 Ffordd yr Eifl.

Hen hen wae

Ym 1938 daeth Tom, mab John Jones, yn brentis mecanic gyda'r cwmni, dan adain ei dad, a rhyw flwyddyn yn ddiweddarach dechreuodd Elwyn Jones, Bryn Cynan, Pontllyfni, ar ei yrfa yntau fel mecanic. Dyma'r unig ddau

Gweithwyr y Garej yn y 1940au – Johnnie Morris Jones (yn penlinio), Francis Thomas, Elwyn Jones, Tom Jones

sy'n dal yn fyw heddiw (Ebrill 26, 2012) o'r rhai weithiai i'r Moto Coch cyn yr Ail Ryfel Byd. Mae Tom yn 89 oed ac Elwyn yn 88 oed eleni.

Ac yn union fel yn y dyddiau tywyll hynny chwarter canrif ynghynt, roedd cymylau gwae rhyfel byd yn crynhoi unwaith yn rhagor yn ffurfafen Cymru, ac yn taenu'u cysgodion bygythiol uwch Clynnog Fawr a Threfor a'r Moto Coch.

Un o gondyctors benywaidd cyfnod yr Ail Ryfel Byd, Christiana Hughes, o flaen Siop Glanrafon (chwith) a chapel Gosen, yn barod i adael am Bwllheli gyda'i theithwyr.

21.
AMSER RHYFEL

Un o ffeithiau hanes yw fod yr Ail Ryfel Byd wedi bod o fudd mawr i'r Moto Coch. Fe'i cododd ar ei draed. Do, bu'r blynyddoedd cyn y rhyfel yn flynyddoedd da a phroffidiol a'r llog i'r cyfranddalwyr yn codi'n araf a chyson i 12½% ym 1939. Gyda'r rhyfel, daeth y dogni mawr ar bopeth, gan gynnwys petrol wrth gwrs, hynny'n gorfodi defnyddwyr ceir a motobeics yn arbennig i ddefnyddio'r gwasanaeth bysus. Rhoddodd hyn hwb aruthrol i fusnes y cwmni. Hyn, yn anad unpeth arall, fu'n gyfrifol am y llogau anhygoel o uchel dalwyd drwy'r pedwardegau ac i mewn i flynyddoedd y pumdegau.

Ond doedd pethau ddim ar i fyny yn Chwarel yr Eifl. Rhoddwyd nifer fawr o ddynion ar y clwt oherwydd cwymp yn y galw am gerrig, ac aeth llawer o'r dynion hynny ar wasgar i geisio gwaith. Cafodd nifer dda ohonynt waith yn chwarel Stepper Point yn Padstow, Cernyw, digon o ddynion, yn wir, ag i'w galluogi i ffurfio Côr Meibion Trefor yn y wlad bell, dan arweiniad Owen Roberts, codwr canu Maesyneuadd.

Yn lleol, fodd bynnag, y canfu'r rhan fwyaf ohonynt waith, a bu'r Moto Coch yn hynod o brysur yn eu cario hwnt ac yma i gwrdd, yn bennaf, â gofynion y rhyfel. Cyflogwyd llawer yn y gwaith o adeiladu gwersyll milwrol ym Mhenychain ger Chwilog, y Glendower Camp, a ddaeth, wedi'r rhyfel, yn wersyll gwyliau Butlins. Adeiladwyd gwersyll awyrlu yn Llandwrog hefyd, a bu cario mawr ar weithwyr i'r fan honno'n ogystal. Ac wedi cwblhau'r adeiladu, roedd angen cludo llu o weithwyr yno'n ddyddiol o bentrefi a threfi ardal helaeth, gan iddynt gael gwaith yn y lle. Cafodd nifer dda waith hefyd yn Llanberis a Llanbeblig, mewn ffatrioedd cynhyrchu rhannau ar gyfer awyrennau rhyfel. Byddid yn gweithio yn y rhain ddydd a nos, ac ar y Suliau hefyd. Rhaid oedd cael bysus i gludo'r gweithwyr hyn nôl a blaen at eu gwaith. Aeth nifer dda o ddynion yr ardal i weithio i Marchwiel ac i Frodsham.

Prysurdeb mawr

Bu'r dogni cyffredinol, coeliwch neu beidio, o les i'r Moto Coch. Rhaid oedd cael cwponau i brynu bwyd a dillad, a rheidiau eraill bywyd, gyda'r canlyniad na fedrid gwario gymaint o arian ag o'r blaen ar y pethau hynny. Felly, roedd gan bobl arian dros ben. Canlyniad hynny oedd mynych deithiau i'r trefi ac ymhellach. Cynyddodd nifer y tripiau'n ogystal. Meddai William Roberts:

'Rasiwn ar fwydydd hefyd, oedd yn lleihau bil y siop. Heidiai'r bobl i'r dref a'r ddinas. Byddai'r bwsiau'n orlawn ar eu teithiau oll ymron. Trefnid tripiau yn barhaus i bob adyniad.'

Y bysus

Er fod y busnes ei hun fel y cyfryw yn ffynnu'n aruthrol – digon ohono – doedd pethau ddim yn fêl i gyd chwaith. Roedd hi'n amhosibl prynu unrhyw fws newydd, ac yn anodd iawn cael gafael ar rai ail-law. A doedd y dybl-decar heb gyrraedd Trefor bryd hynny.

Prif fysus gwasanaeth y cwmni yn ystod y blynyddoedd hyn oedd y Bedford Utilities â'u seddau pren anghyfforddus, mwy neu lai yr unig fws y gellid ei brynu ar y pryd. Cofiaf yn iawn bod un o'r bysus hyn yn dal ar y lôn i ganol y pumdegau – y 'Bedford Bach' chwadal ninnau, a chas gennym fyddai ei weld fel *Duplicate* plant ysgol ambell bnawn Mercher o Bwllheli. Gall Tom Jones gofio'i hun, ac yntau ar *leave* o'r rhyfel, yn mynd cyn belled â Northampton gyda'i dad i nôl un o'r Bedfords hyn.

John Phil a'r Sgowsar

Yn ystod blynyddoedd yr Ail Ryfel Byd roedd yna nifer dda o 'blant cadw' (ifaciwîs) yn cael lloches yn Nhrefor, fel ym mhobman arall yn yr ardal. Plant o Lerpwl oedd y rhan fwyaf ohonyn nhw, ac arferai rhieni rhai ohonynt ddod yma i fwrw'r Sul gyda'u plant, a dychwelyd i Lerpwl fore dydd Llun.

Un bore dydd Llun, a John Phil wrth y llyw, roedd y Moto Coch mewn da bryd i ddal bws Lerpwl ar y Maes yng Nghaernarfon. Dyma ddadlwytho'r teithwyr, ac yna'r bagiau ac ati oddi ar ben agored y bws.

'Driver! Where's me push-pram?' bloeddiodd un Sgowsreg ddigon blin. Cofiai John iddo lwytho'r goets bach yn Nhrefor cyn cychwyn, ond rŵan doedd dim golwg ohoni'n unman.

'I'm sorry, madam, but it's not here.'

'Co'r blimey!' Cochodd wyneb y ddynes mewn ffit o anobaith. Doedd hi ond wedi prin ddechrau rhegi John Phil druan pryd y tuthiodd rhyw gar i'r Maes a choets bach y ddynes wedi ei chlymu'n ddiogel ar ei do. Roedd gyrrwr y car bach hwnnw wedi canfod y goets yn hongian ar un o frigau praff coed Glynllifon, saith milltir o'r dref. Er mawr ollyngdod i John Phil – a Chymru – llwyddodd y fadam Sgowsaidd - a'i choets! - i ddal y bws a'i dygai'n ddiogel, hyd y gwyddom, i Pier Head a Nerpwl.

Y Fyddin Fenywaidd

Gan fod pawb o ddynion Trefor, mwy neu lai, mewn gwaith, naill ai yn y Gwaith Mawr neu yn y llefydd a nodwyd, ac yn ennill gwell arian nag a dalai'r Moto Coch i gondyctors, bu'n rhaid i'r cwmni gyflogi merched i wneud y gwaith arbennig hwnnw. Dyna pam y gwelwyd byddin o ferched ifainc, rhai ohonynt yn fyfyrwyr, yn casglu arian teithwyr y Moto Coch drwy gydol blynyddoedd y rhyfel. Ni cheir cofnod o enwau'r holl ferched, ysywaeth, ond dyma enwau nifer dda ohonynt a gofir gan wahanol bobl o'r cyfnod hwnnw.

Elsie Roberts / Enid Williams / Jennie Jones / Mae Hughes / Emily Hughes / Christiana Hughes / Annie Mary Jones / Louise Jones / Margaret Roberts / Myra Jones / Pheobe Jane Roberts.

Olew gwyrthiol?

Ac eithrio byddin y merched, parhaodd staff y cwmni yn weddol sefydlog gydol blynyddoedd y rhyfel. Gyda Tom yn mynd i'r fyddin ym 1942, daeth Francis Thomas yn fecanic i weithio gydag Elwyn Jones oedd yno eisoes er 1939.

Treuliodd Francis oes fel mecanic gyda'r Moto Coch, a bu hefyd yn gyrru'r bysus yn ôl y gofyn. Mae yntau wedi ymddeol ers rhai blynyddoedd bellach, ac yn byw gyda'i briod, Myra, a'i fab, Clifford, ym Mron Hendre, Trefor. Ym mhentre'r Ffôr y mae Tom a'i briod Catherine yn byw, ac yng Nghaernarfon y trig Elwyn a'i briod, Mair. Rwy'n siŵr bod rhywbeth arbennig yn arogl oel a saim y Moto Coch i beri i'w mecanics gael hir oes!

Roedd Tom, mab John Jones, yn fecanic yn y Garej er 1938. Ym 1942, cafodd alwad i ymuno â'r lluoedd arfog, ac yn y rhyfel y buo fo am y pum mlynedd nesaf – yn y D-Day

Landings ac yn yr Almaen, ac yna yng ngwlad yr Aifft o 1945-47. Dychwelodd i Drefor ym 1947, ac at y Moto Coch fel mecanic a gyrrwr. Daeth yn Reolwr y cwmni ym 1963 ar ymddeoliad ei dad.

Llun hyfryd o bentref hynafol Clynnog Fawr yn Arfon. Fe'i tynnwyd o ben tŵr yr eglwys, ac mae'r bobl yn sefyll ar ben to'r adeilad.

22.
ANNIE MARY MOTO COCH

Cyfeiriwyd eisoes at y fyddin o ferched gafodd waith fel condyctors yng nghyfnod yr Ail Ryfel Byd. Dros dro y bu'r cyfryw sefyllfa, ond fe barhaodd un ohonynt yn gondyctor weddill ei dyddiau gwaith. Annie Mary Jones oedd honno, yr annwyl 'Annie Mary Moto Coch'.

Annie Mary Jones
(Annie Mary Moto Coch)

Un o blant Trefor oedd Annie, yn ferch i Humphrey a Rachel Jones, 57 Ffordd yr Eifl, ac yn un o saith o blant. Gwraig o Sir Benfro oedd ei mam (1885-1954) a siaradai ag acen gref 'Wês-wês' y Preselau. Profodd Annie a'r teulu ddyfroedd chwerwon bywyd a hithau ond yn eneth ifanc.

Ar ddydd Gŵyl Ddewi, 1928, bu damwain angeuol yn Chwarel yr Eifl pan laddwyd Wmffri Jones, tad Annie. Roedd yn 51 oed. Er bod Mynwent Newydd pentref Trefor wedi ei hagor yn swyddogol ym 1926, parhai trigolion y lle (fel i raddau helaeth heddiw) i gladdu ym mynwent y plwyf yn Llanaelhaearn. Wmffri Jones oedd y cyntaf i'w gladdu ym mynwent Trefor, hynny ym Mawrth 1928, ac mae beddrod y teulu i'w weld yng nghongl bella'r fynwent.

Ddwy flynedd yn ddiweddarach, yn Hydref 1930, cafodd y teulu ergyd drom arall. Daeth clefyd marwol y diphtheria i Drefor a bu farw chwaer Annie, Jannet Ellen, ohono, hithau'n ddisgybl yn ysgol Trefor ar y pryd. Rhyw ddwy ar bymtheg oed oedd Annie bryd hynny. Effeithiodd y ddwy drychineb yn fawr ar y teulu.

Ym mlynyddoedd y tridegau bu Annie'n gweithio yn Lerpwl, ond yn ei hôl i dawelwch cymharol Bro'r Eifl, o sŵn a pheryglon y bomio, y dychwelodd pan ddaeth yn rhyfel. Cafodd waith, gwaith am oes, ar y Moto Coch. Bu hithau gyda'r mwyaf triw a chydwybodol a welodd y cwmni erioed.

Hanfodion

Tri pheth mawr a nodweddai ei bywyd. Ei theulu'n sicr oedd un, ac roedd ei gofal am ei brawd Daniel yn amlwg i bawb. Cafodd y ddau fyw gyda'i gilydd am oes faith yn Rhif 57, a threulio dyddiau'r machlud mewn cartref gofal ger Y Felinheli.

A dyna Bethania, capel bach y Bedyddwyr yn Nhrefor, lle nad oedd neb ffyddlonach nag Annie. Roedd hi'n 'Fatus Mawr' ys dywedai pobl, ond nid yn gul ac anoddefgar. Roedd ei hymlyniad wrth yr achos yn fawr, a bu farw cyn gweld cau'r capel yn derfynol.

A'r trydydd? Ie, siŵr iawn, y Moto Coch. Yma hefyd amlygwyd ei theyrngarwch a daeth yn adnabyddus i gannoedd o bobl, i bawb o deithwyr y bysus rhwng Caernarfon a Phwllheli. Gall pob disgybl a deithiai i ysgolion uwchradd Pwllheli gofio pa mor ffrwcslyd y gallai fod, yn arbennig pan fyddai rhyw reol newydd ynglŷn ag ymddygiad, neu pwy fyddai'n cael eistedd yn llofft y dybldecar. Golchi'i dwylo o'r cyfrifoldeb wnâi Annie'n ddi-feth, gyda datganiad swta, lled-ymddiheurol. 'Nid fi sy'n d'eud; John Jôs sy'n d'eud,' a'i gadael hi'n fanna.

Ond mi allai hithau wylltio hefyd. Gwae'r gweilch drwg hynny fyddai'n ei phryfocio trwy ganu ambell i gân ddigon 'diniwed' yn llofft y bws. Gwyddai Annie'n iawn pam y byddid yn canu 'Ble mae Daniel? Ble mae Daniel? Yn ffau'r llewod ...' a deuai i fyny'r grisiau tro mewn chwinciad a'r pres yn canu'n ei bag a'i hwyneb yn wrid o ddigofaint. Châi neb ddweud, na chanu, unrhyw beth am ei theulu!

Bu unwaith yn *film star*, ac os am ei gweld, yn ferch ifanc toc wedi'r rhyfel, edrychwch unwaith eto ar y ffilm arloesol Gymraeg honno, *Yr Etifeddiaeth*, a gynhyrchwyd gan John Roberts Williams, lle gwelir Annie yn sefyll, gyda'i bag a'i pheiriant tocynnau, o flaen un o stondinau Ffair Pwllheli.

Enwogrwydd

Daeth hefyd yn 'seren' yn un o gyfrolau gorau'r Gymraeg, clasur Gruffudd Parry, *Crwydro Llŷn ac Eifionydd*, a gyhoeddwyd ym 1960. Er mai yn Arfon, siŵr iawn, y mae Trefor, am ryw reswm fe'i cynhwyswyd yn y gyfrol hon. Diolch am hynny, efallai, cans mae'n werth dyfynnu'r hyn sydd gan yr awdur i'w ddweud am y Moto Coch, ac am Annie, a'i ddyfynnu'n llawn. Y gyrrwr yn yr hanes yw William Jones, Gors Tynrhos, Llithfaen.

'... efallai fod dynion sy'n treulio oes yn ymladd gyda gwytnwch craig yn sugno peth o'r gwytnwch hwnnw i'w cymeriad ac yn magu caledwch yn eu natur rhagor na dynion tir sy'n trafod meddalwch gweirgloddiau a breuder sofl. Stori annibyniaeth yw stori'r Moto Coch beth bynnag.

Pan ddaeth y bwsiau cynnar yn boblogaidd yn nechrau'r ganrif yr oedd llawer o wahanol fathau ohonynt, o fawredd y siarri lydan a rhes o seti ar ei thraws a drysau i fynd iddynt ymhob pen ar hyd ei hochrau, hyd at ddistadledd y lorri lo a sgubid yn lân ar nos Wener, ac ar ôl gosod seti ynddi, ei diddosi gyda tho tarpowlin i'w gwneud yn foto i fynd i'r dre erbyn un o'r gloch pnawn Sadwrn. Rhedai'r moto wrth angen y teithwyr yr adeg honno cyn i'r peiriant fynd yn feistr ac i'r teithwyr ddechrau rhedeg wrth angen y moto. Prin y gwelid neb yn brysio yn fyrwyntog, fochgoch, ar hyd y Maes yng Nghaernarfon neu Bwllheli a chael fod y bws 'wedi mynd'. Safai'r perchennog â phwysa'i gefn ar ben blaen disglair ei fws yn gwenu'n rhadlon ar ambell un o'r rhai oedd wedi ei gludo i'r dre yn pasio'n hamddenol ynglŷn â'i fusnes. Byddai rhywun wedi gorffen ei neges ac yn dod ato am sgwrs, ac yn llywio'r sgwrs yn ddeheuig i gyfeiriad y cwestiwn,

'Pryd rwyt ti am fynd adra, John?'

Ond byddai'r ateb yn gwbl ddiogel.

'Pan ga' i lwyth 'te boi.'

Cymry hawdd iawn i'w trin a'u trafod oedd perchenogion y bwsiau, ac ni chafodd y cwmnïau mawr o Loegr unrhyw drafferth i roi eu crafanc ar y moto a'i lusgo i bwll di-waelod eu crombil newynog, a rhoi cap pig gloyw i'r perchennog a'i wneud yn ddreifar. Ond fe ddygnodd ambell un ymlaen, ac y mae ychydig yn aros o hyd. Dygnodd pobl Trefor iddi i gyd fel un gŵr, a daeth cadw'r Moto Coch yn fater o gydwybod cymdeithas. Er clod iddynt, mae bwsiau cwmni'r 'Clynnog a Threfor' yn dal i redeg, ar amserau gwahanol, ond ar hyd yr un ffordd yn union o Bwllheli i Gaernarfon â bwsiau'r cwmni mawr. Ond y mae un gwahaniaeth. Mae pentref Trefor ar lan y môr, filltir oddi wrth y ffordd fawr a dwy ffordd yn cyrchu i lawr yno, a gellir mynd yno ar hyd yr un a fynner o'r ddwy, y naill o ochr Pwllheli a'r llall o ochr Caernarfon, a dod yn ôl ar hyd y llall. Pasio pen lôn Trefor y mae'r bws gwyrdd bob tro, nes gwneud y mynegbost sy'n dweud 'Trefor Only' yn arwyddocaol iawn. Y Moto Coch yn unig sy'n teithio'r ddwy filltir hyn, a llwyddodd i gadw ei urddas er mor gyfyng yw ei libart. Yn ystod blynyddoedd y rhyfel yr oedd gan y cwmni un o'r bwsiau seti pren oedd yn gynefin, a'r gyrrwr yn ddyn meidrol yn eistedd wrth yr olwyn yn y bws ac nid yn gorun cap a chefn dyn mewn sgwâr o wydr o flaen y bws. Merch

Tri o docynnau'r Moto Coch, ac un o eiddo rhyw gwmni arall!

ifanc oedd 'y giard', ac Annie oedd ei henw. Gwyddai pob teithiwr hynny am ei bod hi yn siarad gyda'r gyrrwr wrth ei enw, William Jones, ac yntau yn dweud 'Annie' wrthi hi. Nid tinc mecanyddol rhodresgar cloch anweledig oedd yn peri i'r Moto Coch gychwyn ac aros, ond llais Annie yn dweud, 'Reit William Jones' a hynny yn peri i droed William Jones fynd i lawr ar y clyts. Byddai'n hawdd iawn gweld ymhle'r oedd yr awdurdod terfynol hefyd. William Jones fyddai'n gofyn wrth ddod i lawr am y pentref ar y ffordd o Gaernarfon,

'Ydi dy Anti am ddwad heddiw, Annie?'

'Os bydd hi'n barod 'te.'

'Mi 'roswn ni am funud os na fydd hi.'

At eich gwasanaeth!'

A dyna'n wir oedd prif nodwedd Annie yn ei gwaith gyda'r Moto Coch. Gwasanaeth! Byddai'n gwneud neges i hwn a'r llall yn ddi-baid, yn crwydro Stryd Llyn, Caernarfon, neu Stryd Pen-lan, Pwllheli, yn chwilio am nwyddau neu foddion i rywun yn Nhrefor. Yna'n tuthio am y bws, efallai bum munud yn hwyr, a neb yn cwyno.

Coes bren!

Yn hollol! Neb yn cwyno. Hwn oedd ein moto ni! A dim sôn, gyda llaw, wrth wneud neges i hwn a'r llall ac arall, am 'eli cricmala' i goes bren yr un o Hogia'r Wyddfa! Ond wir i chi, daeth yn agos at hynny un tro yn hanes Annie Mary.

Rhan o wasanaeth y Moto Coch oedd codi parseli yn Stesion Llanwnda ('Llanwnda RSO' bryd hynny) i'w cludo i rai o swyddfeydd post y pentrefi ar weddill y daith i'r gorllewin. Roedd y cortyn am un o'r parseli a roddwyd yng ngofal Annie wedi breuo a bron â thorri, a phenderfynodd ei ddal ar ei glin rhag iddo fynd yn waeth. Pan drybowndiodd yr hen fws iwtiliti dros bont Gurn Goch, agorodd pen y parsel hir a gadael coes artiffisial yn gorwedd yn daclus ar lin Annie Mary. Sgrech!

Byddai'r Moto Coch yn cludo'r *Herald Cymraeg* yn wythnosol ar y ffordd o Gaernarfon ac yn gollwng y paciau mewn gwahanol siopau. Wedi i Annie fynd â'r pecyn i siop Swan ger Pontllyfni, canodd rhyw hen wag y gloch, ac i ffwrdd â'r bws gan adael Annie druan yn gwrido hyd at fôn ei chlustiau yn y siop.

Arafa, Don!

Eisteddai Donald yn sedd y gyrrwr, a'r Moto Coch a'i lwyth teithwyr yn barod i adael Maes Caernarfon am bentrefi gorllewin Arfon. Pan gafodd yr arwydd i gychwyn gan y condyctor, Annie Mary – sain eglur y gloch – taniodd y peiriant, a ffwrdd â fo ar un daith arall ymhlith cannoedd. Codai ei law yn siriol (fel y gwnâi Donald bob amser) ar hwn a llall ac arall, ac roedd y byd yn gwenu arno yntau.

Fel y dynesai at Bont Saint clywodd sŵn cerbyd y tu ôl iddo'n rhywle yn canu'i gorn. 'Rhywun ar frys,' tybiodd Donald, gan arafu'r bws i'r car gael pasio. Sgrialodd y car heibio'r dybl-decar a rhoi arwydd i Donald stopio. 'Be gebyst ...'

Agorodd drws y car ac ohono, yn llawn gwrid, camodd neb llai nag Annie Mary'r condyctor, wedi ei gadael gan Donald a'r Moto Coch yn unig a diymgeledd ar Faes y dref!

Pwy ganodd y gloch, does wybod.

Diwedd y daith

Treuliodd Annie a Daniel eu blynyddoedd olaf mewn cartref preswyl ar lannau'r Fenai. A phan fu farw Daniel yn 2003 gadawyd Annie'n unig, yr olaf o blant Rhif 57. Bu hithau farw ar y 26ain o Fehefin, 2004, yn 91 oed, ac fe'i claddwyd ym meddrod y teulu yng nghongl bella mynwent Trefor.

Maes Caernarfon tua 1912/3 gyda'r Commer cyntaf yn sefyll ger y Ffownten.

23.
LLWYDDIANT A PHROFEDIGAETH

Dan oruchwyliaeth R.E.R. McClement a John Jones bu'r cwmni yn llwyddiannus dros ben ym mlynyddoedd y rhyfel. Roedd y gwasanaeth yn un hynod o effeithiol, y bysus yn eitha prydlon, os gorlawn, a chymwynasgarwch y staff yn ddihareb. Yn ariannol, roedd y llwyddiant yn ysgubol.

Erbyn 1941 roedd yr elw blynyddol wedi cynyddu'n aruthrol gyda'r canlyniad bod y cwmni'n talu llog o 40% ar y cyfranddaliadau. Am y pedair blynedd dilynol (1942-45), talwyd llog o 50%. Gwnaed elw o £3,435 ym 1944, oedd bryd hynny yn elw aruthrol. Ar un wedd roedd pawb yn hapus – y teithwyr, y staff a'r cannoedd o'r trigolion a ddaliai'r 3,356 o gyfranddaliadau. Ac roedd yr Ail Ryfel Byd fel petai'n tynnu ei draed ato.

Cwmwl du

Yna, yn gwbl ddirybudd, cafodd y cwmni ergyd, a honno'n ergyd enbyd. Ynghanol ei ddyddiau ac ynghanol ei lwyddiant, bu farw Robert Ellis McClement ddydd Glangaea 1944, ac yntau ond yn hanner cant oed. Y mae'r deyrnged a roddwyd i'w goffadwriaeth yn yr *Herald Cymraeg* yn deyrnged, mae'n amlwg, i ŵr arbennig iawn, a chymwynaswr mawr i'w fro a'i bentref. Dyma ran ohoni:

Robert Ellis McClement,
Ysgrifennydd a Rheolwr y cwmni
1932-44

'Ef oedd prif oruchwyliwr moduron Clynnog & Trefor ac yr oedd yn

hynod lwyddiannus yn y swydd honno ... Y mae ei farw cynnar wedi peri tristwch cyffredinol trwy'r holl gylch. Yr oedd yn ddyn ardal a chylch ac yn gymwynaswr mawr. Gellir dweud yn hollol ddibetrus iddo wneud ei hunan yn bopeth i bawb. Ni chafodd y tlawd erioed fyned oddi wrtho yn waglaw. Gweithiodd yn egnïol fel aelod o bwyllgor cronfa croesawu'r bobl ieuainc o'r rhyfel. Yr oedd hefyd yn aelod o ddosbarth y W.E.A., yn un o ymddiriedolwyr y Neuadd, yn ddiacon gweithgar ym Maesyneuadd. Yr oedd yn enau cyhoeddus ac ar waethaf ei enw yr oedd yn Gymro i wraidd ei enaid ... tystir fod yr angladd y mwyaf a fu yn yr ardal erioed.'

Clywais fy nhad yn sôn droeon amdano, ac am ei angladd mawr. Roedd ef, a fy nhaid, William Evans, yn ddau o'r pum diacon o Faesyneuadd a gariai ei arch. John Williams, Robert Davies ac R.O. Ellis oedd y tri arall.

'Gellir dweud amdano mai dyn i bawb oedd ac ni fu cymwynaswr o'i fath erioed.' I gofio am gyfaill a gwladgarwr hoff, lluniodd y ddau frawd o'r Gwydir Bach, Robert Herbert a Thomas Bowen Jones englyn i'w goffadwriaeth.

'Yn oriau ei weithgarwch – darfu'i ddydd
  Dyrfa ddwys gofidiwch;
  Lleddf, lleddf fu rhoddi i'r llwch
  Wron cymwynasgarwch.'

Swyddogion newydd

Bu'n rhaid i'r cyfarwyddwyr edrych o'r newydd rŵan ar strwythur gweinyddol y cwmni. Y Cadeirydd newydd oedd John Hughes, ysgolfeistr Llanaelhaearn, a bu yn y gadair am dros ugain mlynedd.

Dybl-decar enwoca'r Moto Coch – y PWL413 – a gariodd filoedd o blant a phobl yn ei dydd. Yn gefndir gwelir y Garej Isa a'r hen swyddfa, ac yng ngwaelod y lôn, Glanrafon, sydd heddiw'n swyddfa newydd y cwmni. Arfon Pritchard sy'n sefyll ger y bws.

Y Dybl-decar TF6821 yn barod i adael Maes Pwllheli am Gaernarfon, rywbryd yn y '50au

Yr hyn a wnaed oedd rhannu swydd R.E.R. McClement yn ddwy – Rheolwr ac Ysgrifennydd. Gallai'r cwmni fforddio hynny.

Dyrchafwyd John Jones, oedd yn gyflogedig gyda'r cwmni er 1921, i fod yn Reolwr Cyffredinol. Roedd John Jones â phrofiad helaeth o'r busnes erbyn hyn, wedi bod yn yrrwr a mecanic gyda'r Moto Coch ers tair blynedd ar hugain, a hefyd wedi bod yn rheoli pethau yn y garej i raddau helaeth.

Cafwyd 29 o geisiadau am swydd yr Ysgrifennydd, a phenodwyd Gwerfyl Williams, 14 Lime Street iddi. Roedd Gwerfyl yn ferch ifanc gerddorol dalentog, yn bianydd hyfedr, ac yn wyres i John Âr ar ochr ei mam. Bu yn y swydd o 1945 tan 1949. Priododd â Reginald (Reggie) Jones, ac ymgartrefu yn Llwyn Onn. Cawsant un ferch, Pat. Yn ddiweddarach bu'n gweithio fel un o gogyddesau ysgol Trefor, yn ogystal â rhoi gwersi piano.

Gwerfyl Jones, Ysgrifennydd y cwmni 1944-49

Dyfodiad y Dybl-decars

Aeth y Moto Coch rhagddo o nerth i nerth, y gwasanaeth yn rhoi enwau pentrefi Clynnog a Threfor 'ar y map', ac yn ennyn balchder ymysg y trigolion. Mae'n debyg mai'r pymtheng mlynedd o 1940 hyd 1955 oedd oes aur y Moto Coch – yn sicr yn hanes y gwasanaeth arferol o gario teithwyr rhwng Caernarfon a Phwllheli, ac i'r gwahanol weithleoedd. Daeth gwibdeithiau hefyd yn adnodd gwerthfawr ychwanegol. Ac fe gyrhaeddodd oes y rhyfeddod mawr – y Dybl-decar.

Mewn gwirionedd, roedd y cwmni wedi paratoi ar gyfer dyfodiad y dybl-decars ac wedi darparu cartref addas iddynt. Cadwyd yr hen garej a chafwyd swyddfa newydd yr ochr ucha iddi, yn nes at glawdd cae tatws Llwynaethnen na'r hen un.

Ond y prif newid, wrth gwrs, oedd codi garej newydd, y Garej Ucha, ym 1945, nid â choed a sinc y tro hwn, ond â brics. Cliriwyd y pridd a'r rwbel yng nghongl ucha'r iard, a'i gludo, dunelli ohono, i wneud ffordd o'r Lôn Newydd i iard Capas Lwyd.

Mae sôn am y garej newydd yn achos balchder personol i mi, gan mai fy nhad, William Jones, Bryn, a'i cododd. Bellach roedd gan y cwmni ddrysau y gellid twsu dybl-decars trwyddynt, a tho oedd yn ddigon uchel iddynt ymochel dano.

Prynwyd y bysus newydd – ie, yn newydd sbon – tua 1947-48. Crossley oedd un ohonynt, a'r ddau arall yn Guy

Y Garej Ucha, a godwyd ym 1945, gydag amrywiaeth o fysus ac oeliach ôl bodio mecanics ar y llun

Arab gyda pheiriant Marine 120 hòrs. Y cof sydd gen i o'r ddau Arab ydi eu gallu rhyfeddol i chwyrnellu ar wib i fyny'r gelltydd fel pe na bai'r gelltydd hynny'n bod. Bellach gallai un dreifar ac un condyctor gario llwyth mawr o deithwyr, lle gynt roedd yn rhaid defyddio'r 'Duplicate' yn aml, a thalu cyflogau dreifar a chondyctor ychwanegol. Yn naturiol, daeth y dybl-decar yn ffefryn ymysg y plant – a'r oedolion hefyd ran hynny! Ac fel y cynyddai'r busnes, ychwanegwyd at y staff.

Saith o ddybl-decars y gwasanaeth ysgolion

24.
POBOL Y MOTO COCH

Ym 1947 daeth Tom Jones yn ei ôl o'r lluoedd arfog, ac ymuno â William Williams, Elwyn Jones a Francis Thomas yn y garej. Ac roedd yr hen lawiau'n dal wrthi, siŵr iawn – Dic Tŷ Gwyn, Alun, John Phil, Huw Llwyn ac Aled Thomas (hyd ei farw ym 1949).

Yn y cyfnod 1940-55 cafwyd gyrwyr ychwanegol fel Thomas Williams (Twm Bach) ac Edward Owen (Ned Becar), y ddau o Lanaelhaearn, Thomas C. Jones (Tomi 'Sgubor Wen) a Raymond Antill.

Ym mlynyddoedd y rhyfel yr ymunodd y ddau o Lanaelhaearn â'r cwmni. Bu farw Thomas Williams yn 1977 yn 64 oed. Rhoddodd Tomi 'Sgubor Wen oes o wasanaeth tawel a ffyddlon i'r Moto Coch hyd ei farw ym 1985 yn 64 oed. Gyrrwr arall o'r un cyfnod oedd un y soniwyd eisoes amdano, William Jones, Gors Tynrhos, Llithfaen. Sonia rhai am Arfon o Lanllyfni hefyd, fu yma am gyfnod.

Roedd Raymond Antill yn frawd i Florrie Antill fu'n athrawes yn ysgol Trefor am tua hanner can mlynedd, ac yn un o deulu ymfudodd yma o Sir Gaerlŷr yn ail hanner y 19eg ganrif, fel nifer o weithwyr cynnar y Gwaith Mawr. Roedd yr ail genhedlaeth, wrth gwrs, yn Gymry glân gloyw.

Byddai Raymond wrth ei fodd pan dynnid ei goes ar gorn yr hyn y byddai ei fam yn ei honni, sef ei bod wedi magu'i mab ar jeli a jam! Doedd dim golwg felly arno'n ddyn, fel y cofiwn. Roedd yn grymffast cryf – ac yn yrrwr cyflymaf y Moto Coch!

Cyn dychwelyd i Drefor bu'r yrrwr gyda 'moto coch' arall, y Birmingham & Midland Motor Omnibus Company (y Midland Red) yng nghanolbarth Lloegr, cwmni ddaeth yn enwog o ddiwedd y dauddegau ymlaen am gludo'r miloedd twristiaid i dref Llandudno. Ie, Raymond ddireidus a hwyliog.

Johnnie Morris Jones (o deulu Uwchfoty) oedd y cyntaf o'r condyctors newydd, a chafodd waith fel glanhawr i ddechrau. Bu'n yrrwr hefyd cyn diwedd ei gyfnod gyda'r cwmni. Daeth ei frawd Richie hefyd yn lanhawr yn ddiweddarach, ac wedyn yn gondyctor. Bu ef farw yn Ionawr 1991 yn 61 oed. Cofir hefyd am John Ogwen Jones yn condyctio – gŵr y gantores enwog, Lottie Ogwen Jones, enillodd ar yr unawd soprano yn Eisteddfod Genedlaethol Caernarfon, 1959.

Un arall fu'n condyctio am gyfnod oedd Charles Hughes (Charli Barbar), oedd yn torri gwalltiau mewn cwt sinc bychan ('Cwt Charli') gyferbyn â garej Moto Coch. Cyn iddo briodi, a chael aelwyd newydd y drws nesaf i Annie Mary, bu'n byw yn y Cwt Barbar, fo a'i gi, Rex. Dyna pryd y byddai plant y lle'n ei bryfocio trwy ganu, ar gytgan *Draw draw yn Cheina*, y geiriau hyn:

'Charli Barbar a Rex,
Charli Barbar a Rex –
Dim ond y ddau sydd yn byw yn y Cwt –
Charli Barbar a Rex.'

Ac fe barhaodd y plant i bryfocio Charli ar y bws ysgol hefyd. Gwisgai sbectol gwydr trwchus, a hawdd fyddai i'r plant ei faglu ac ati, er mwyn cael hwyl wrth weld Charli'n colli'i limpyn. Bu farw Charli ym Medi 1967 yn 66 oed.

Victor

Cymeriad diddorol dros ben, a gweithiwr caled, diflino, oedd Victor Luks, fu'n glanhau bysus y Moto Coch am

*Ymweliad mam a dwy chwaer Victor â Gurn Goch. Roeddent hwy'n byw
yn un o wledydd y Baltig*

flynyddoedd. Un o Gurn Goch oedd o, wedi ei fagu gan
Evan Parry a'i wraig, ei daid a'i nain, yn Arfryn ar lethr serth
y mynydd.

Roedd ei fam wedi priodi â llongwr o un o'r gwledydd
comiwnyddol Sofietaidd, ond honnai Victor iddo fo, a'i
frawd Ifan (fu farw'n ifanc), gael eu geni yn y Belgian Congo.
Ai gwir hynny ai peidio, nis gwn, ond yn siŵr i chi roedd
Victor yn gallu rhaffu a phalu straeon. Mewn gair, ni ellid yn
hawdd roi coel arno.

Ymffrostiai Victor yn ei ddawn fel trwsiwr clociau.
Gwaetha'r modd, unwaith y câi afael ar gloc neu wats, go
brin y gwelai'r perchennog y cyfryw drachefn. Fel Wil Bryan
gynt, gallai Victor yntau ddatgymalu cloc ar fwrdd y gegin yn
daclus ddigon, a'r darnau yno fel darnau jig-sô. Arall oedd
ail-greu peirianwaith y cloc. Yn amlach na pheidio, rhoi'r
ffidil yn y to oedd diwedd y stori – a diwedd y cloc druan!

Yn ddiweddarach yn ei yrfa byddai Victor yn gyfrifol am
redeg bws o Drefor i ddinas Caer ar y Suliau, a hynny i gludo
ffyddloniaid 'Bingo Fawr Gaer' (dau dreigliad meddal,
sylwer) i'w hoedfa sabothol. Gynted ag y byddai'r Moto
Coch wedi troi am y dwyrain ym mhen lôn, byddai Victor yn

estyn yn awchus am y cardiau a'r peli, a Bingo Bach fyddai hi wedyn yr holl ffordd i Gaer. Felly'r un modd yr holl ffordd adref!

Nid oes sicrwydd pa bryd yn hollol y dechreuodd gwasanaeth bysus ar y Sul (y 'Sunday Service' nad oedd yn oedfa), ac ni wyddys am unrhyw wrthwynebiad a fu iddo ychwaith. Nid oedd y faniau post yn casglu llythyrau ar y Sul ac fe wnaed y gwaith hwnnw gan y Moto Coch. Ar gefn y bws roedd yna flwch postio lle gellid gollwng llythyrau, a byddai'r condyctor wedyn yn eu danfon i'r Swyddfa Ddosbarthu yng Nghaernarfon.

Victor Luks a Thomas Williams (Twm Bach)

Don

Fel prentis yn y Gwaith Mawr y dechreuodd Donald Cullen weithio wedi iddo adael yr ysgol, ond ymunodd â'r Llynges yn ystod y rhyfel a gwasanaethu yn y Dwyrain Pell. Ym 1946 dychwelodd i fro ei febyd, yn ŵr ifanc pump ar hugain oed, a chael gwaith fel condyctor ar y Moto Coch. Yn ddiweddarach daeth yn yrrwr a bu'n gweithio i'r cwmni hyd ei ymddeoliad yn Nhachwedd 1986. Yr oedd yn briod â Dorothy (1921-2002) o ardal Llandwrog, a ganwyd iddynt ddau o feibion, Ronald a Michael. Bu farw yn 2008.

Bu Don yn glochydd eglwys Sant Siôr yn Nhrefor am flynyddoedd maith a bu'n hynod ffyddlon yng ngwasanaethau'r eglwys. Roedd hefyd yn arlunydd rhagorol ac yn hoff o durnio a gwneud gwaith coed.

Llun dynnwyd ar achlysur ymddeoliad Donald Cullen (4ydd o'r chwith)
ym 1986

Bu am gyfnod yn cario gweithwyr o Bwllheli a'r pentrefi cyfagos i weithio yn y Gwaith Mawr. Golygai hyn godi am 5 o'r gloch bob bore, chwe diwrnod yr wythnos. Pan ymddeolodd, gallai ymffrostio na fu iddo unwaith gysgu'n hwyr yn ystod ei ddeugain mlynedd o wasanaeth.

Cofiai'n dda y cyfnod prysur wedi'r rhyfel pan ymunodd â'r cwmni. Soniai'n hiraethus am y dyddiau da, llawn bwrlwm a gobaith. Cofiai'n arbennig am nosweithiau Sadwrn ar y Maes yng Nghaernarfon pan fyddai dau ddybl-decar Moto Coch yn gadael am Drefor am 10 o'r gloch, ac un bws am Gapel Ucha Clynnog, a'r cyfan ohonynt dan eu sang. Yr un modd ar y Maes ym Mhwllheli – un dybl-decar am ddeg ac un arall am 10.15, a bws bach drwy Bencaenewydd. Ac ar y cyfan roedd pawb yn bihafio.

Rai blynyddoedd yn ddiweddarach, roedd y bws unllawr yn llawer rhy fychan i gynnwys holl deithwyr hwyrol Capel Ucha o Gaernarfon ar nos Sadwrn, a phenderfynwyd rhoi dybl-decar ar y daith. Pur anfodlon oedd gyrwyr y Moto

Coch i ymgymryd â ffyrdd serth a throellog uchelderau plwyf Clynnog yn nhywyllwch nos a thrymder gaeaf, a bu'n rhaid i fab y rheolwr, Tom, fod wrth lyw y bws arbennig hwnnw. Golygai ei fod yn gorfod gadael Trefor yn wag am 9 o'r gloch bob nos Sadwrn, haf a gaeaf.

Ysgrifennydd newydd

Ym 1949 gadawodd Gwerfyl ei swydd a phenodwyd Aneurin Jones, 19 oed, mab ieuengaf John Jones, i'r swydd. Roedd ef ar y pryd yn gweithio tu ôl i gownter y Stôr gerllaw, ac oherwydd y cysylltiad teuluol roedd o'n bur gyfarwydd â gweinyddiad cwmni'r Moto Coch. Dan ei oruchwyliaeth ef a'i dad, aeth y cwmni rhagddo o nerth i nerth, gan wneud elw mawr bob blwyddyn yn ddi-feth.

Aneurin Jones, Ysgrifennydd y cwmni 1949-56

Roedd y llog am 1949 yn 100%, ac ym 1950 penderfynwyd cynyddu cyfalaf y cwmni i £5,000 (10,000 o gyfranddaliadau 10 swllt yr un). Fe'u gwerthwyd yn gymharol rwydd oherwydd enw da ac elw mawr y busnes. Y flwyddyn honno, er gwaethaf costau mawrion, talwyd llog o 50%, ond yna aeth i lawr i 25% ym 1952 a 10% ym 1956. Roedd teyrnas Midas yn ymddangos fel petai'n dod i ben.

25.
DYDDIAU DIFYR

Bu blynyddoedd y pumdegau a'r blynyddoedd dilynol yn rhai da i'r Moto Coch. Roedd yna fynd ar y gwasanaeth arferol rhwng Caernarfon a Phwllheli, a theyrngarwch y bobl yn chwarae rhan amlwg yn y frwydr barhaus â chwmni Crosville. Er na thelid llog bob blwyddyn, cafwyd, ar y cyfan, elw digon parchus. Ym 1955 roedd yn £865, ym 1956 yn £1,446, ac ym 1958 yn £1,548. Ac felly y bu, mwy neu lai, gydol y blynyddoedd, er mai pur anaml y telid llog bellach. Sefydliad traddodiadol yn eiddo i'r bobl oedd y Moto Coch, ac ni faliai'r mwyafrif llethol o'r cyfranddalwyr a gawsant log ai peidio. Pwysicach oedd cadw safon y gwasanaeth trwy ddefnyddio'r elw i brynu bysus ac eiddo fel bo'r angen.

Y Moto Coch ar y Maes yng Nghaernarfon yn barod am ei daith i ucheldir Capel Uchaf Clynnog rywbryd yn y '50au

Swyddogion

Wedi rhyw saith mlynedd fel Ysgrifennydd y cwmni, ymadawodd Aneurin Jones i fod yn Bostfeistr Trefor. Bu yn y swydd honno am oddeutu dwy flynedd ar bymtheg, cyn symud, ym 1973, i fod yn Bostfeistr Aber-soch hyd ei ymddeoliad. Bu farw ym 1999.

Parhaodd ei dad, John Jones, yn Rheolwr y cwmni hyd ei ymddeoliad ym 1963, wedi 42 o flynyddoedd o wasanaeth ffyddlon a diflino i'r Moto Coch. Fe'i holynwyd yn ei swydd fel Rheolwr gan ei fab Tom. Bu farw John Jones ar yr 21ain o Fedi 1971 yn 79 mlwydd oed, ac fe'i claddwyd ym mynwent Trefor.

Ysgrifennydd newydd

Merch Gwydir Mawr oedd Jane Jones (Rowlands gynt). Fe'i ganwyd yn Lime Street, Trefor, ym 1902, ac wedi cyfnod mewn coleg ysgrifenyddol ym Mangor aeth i weithio i ffyrm enwog R. Sumner (Fferyllyddion) yn Hanover Street, Lerpwl, hynny am gyfnod o rhyw ugain mlynedd cyn yr Ail Ryfel Byd. Gadawodd ei gwaith yno er mwyn priodi yng nghapel Great Mersey Street, Lerpwl yn Nhachwedd 1939, â Jac Jones (1896-1956), brodor o Gaeathro a weithiai ar y rheilffordd yn Lerpwl. Ganwyd iddynt un mab, John Rowland, a ddaeth, maes o law, yn frawd-yng-nghyfraith i minnau, trwy iddo briodi fy chwaer, Gwenllian.

Wedi'r rhyfel, bu Jane yn

Jane Jones (Jane Gwydir Mawr), Ysgrifennydd y cwmni o 1956

gweithio mewn swydd weinyddol bwysig i'r ffyrm boblogaidd, Meccano. Yn ystod y bomio mawr ar Lerpwl, daeth ei mab John, a anwyd yn Rhagfyr 1940, i fyw at ei ddwy fodryb, Mary a Megan Rowlands, yng Ngwydir Mawr. Wedi'r rhyfel, fe arhosodd yn Nhrefor.

Yn Chwefror 1956, bu farw Jac, gŵr Jane, yn 59 mlwydd oed, a phenderfynodd ei weddw y byddai'n chwilio am waith yn ardal Trefor er mwyn cael dychwelyd i fro ei mebyd. Dyna pryd yr ymgeisiodd am y swydd o Ysgrifennydd y Moto Coch, oedd bellach yn wag. Ddiwedd Awst y flwyddyn honno derbyniodd lythyr caredig oddi wrth John Jones yn cynnig y swydd iddi ar dri mis o brawf, a'i bod i ddechrau gynted ag y bo'r modd. Prynodd dŷ iddi ei hun yng Nghroeshigol, Trefor.

Bu yn y swydd hyd ei hymddeoliad ym 1971 (yn 69 oed), gan ddathlu'r ymddeoliad hwnnw ag ymweliad â'i mab, John, a'i deulu, yn Uganda, lle gweithiai ef ar y pryd.

Swyddog newydd

Ym 1971 penodwyd Elfyn Owen, Rhianfa, Trefor, yn Ysgrifennydd newydd y Moto Coch. Roedd ef yn ŵr ifanc tua saith ar hugain oed. Ei dad oedd O.G.Owen, rheolwr Cymdeithas Gydweithredol yr Eifl (Y Stôr), a'i fam o gyff y McClements a roddodd i'r Moto Coch ei Reolwr/ Ysgrifennydd o 1932 hyd 1944. Byr fu arhosiad yr Ysgrifennydd newydd – cwta ddwy flynedd – a chanfu'r cwmni ei hun unwaith yn rhagor yn chwilio am rywun cymwys i'r swydd.

Ar y pryd, doedd yna ond un peth cwbl ddiogel amdani, sef gofyn i Jane Jones ddychwelyd o'i hymddeoliad, a hithau erbyn hyn wedi hen weld cyrraedd oed yr addewid. Ac yn ei hôl y daeth, i wasanaethu'r cwmni am dair blynedd ychwanegol, cyn ymddeol yn derfynol ddiwedd 1976 yn 74 mlwydd oed! Bu Jane farw ddydd Gwener y Groglith 1988, a rhoddwyd ei gweddillion i orffwys gyda Jac, ei phriod, ym mynwent capel Caeathro.

Elw

Trwy'r holl flynyddoedd hyn, i ganol y saithdegau, parhaodd y cwmni i lwyddo yn ei ddau brif amcan, sef bod o wasanaeth gwerthfawr a dibynadwy i'r ardal a thu hwnt, yn ogystal â thalu'r ffordd. Roedd yr elw ym 1974 yn £4,018, ac ym 1975 yn £5,380, er na thalwyd unrhyw log.

Gwaith amrywiol

Ers dyddiau'r Ail Ryfel Byd, ychwanegwyd yn arw at swyddogaeth y Moto Coch. Parhawyd, fel y mae'n parhau hyd heddiw, i gario teithwyr nôl a blaen rhwng Caernarfon a Phwllheli, a'r plant ysgol hwythau i'r ddwy dref, yn ogystal â Dyffryn Nantlle.

Mae gan bawb yn yr ardal, greda i, ei atgofion personol am y Trip Ysgol Sul, fu'n ddigwyddiad cydenwadol ar hyd y blynyddoedd. Y gyrchfan fyddai Y Rhyl - yn ddieithriad. Disgyn o'r bws yng Nghonwy, a cherdded y tu ôl iddo dros yr hen bont. Yna'r cyffro'n cynyddu, a phawb am y cyntaf i weld Olwyn Fawr a Figure Eight y Marine Lake yn y pellter wrth inni nesáu â chydwybod lân at y ffair wagedd y'n rhybuddid oll ar bnawniau Sul i osgoi ei hanfoesoldeb a'i pheryglon.

Bu Y Rhyl a Belle Vue Manceinion yn gyrchfannau poblogaidd i dripiau'r Moto Coch am ddegawdau, yn ogystal â nifer dda o 'deithiau dirgel', y *mystery trips*, a drefnid gan wahanol gymdeithasau yn y fro – tripiau digon difyr weithiau, a digon diflas dro arall. Cyfeiriwyd atynt gan Wil Sam fel *'misery trips'*!

Byddai canu, morio canu, yn rhan hanfodol o bob gwibdaith. Cenid emynau mewn pedwar llais, a chenid y jyncet arferol o *Gychod Dafydd 'Rabar, Oes gafr eto?* a *Phwy ddaru dy guro di?* heb sôn am *gomic songs* y dydd – yn Saesneg – caneuon fel *You are my sunshine, Forever and ever, Happy Wanderer, Show me the way to go home* a *She'll be coming round the mountain.* Doedd dim sôn y dyddiau hafaidd hynny am na radio nag ipod na ffôn symudol.

Y Band

Gwaith digon diflas, greda i, oedd gyrru bws y seindorf i gystadleuaeth, yn arbennig o ganol y saithdegau ymlaen pan ddaeth yr holl offerynnau taro'n rhan o'r cyfansoddiad cystadleuol. Roedd disgwyl i'r gyrrwr fod â llaw yn y llwytho cyn cychwyn, dadlwytho i ymarfer ar y ffordd yn rhywle, ail lwytho, dadlwytho ar gyfer y gystadleuaeth, llwytho ar gyfer y daith adref a dadlwytho ar ôl dychwelyd. Dydi o'n syndod yn y byd bod morthwyl drwm mawr y band wedi bod yng ngarej y Moto Coch am rai blynyddoedd, a chael ei ddefnyddio i guro llwch o seddau'r bysus!

Ar ben hyn oll, gorfod disgwyl i un siop sglodion fechan yn rhywle fel Hen Golwyn ddiwallu anghenion hanner cant o fandwyr a chefnogwyr – a cheisio llusgo rhai afradloniaid o'r dafarn dros y ffordd – cyn troi trwyn y bws tuag adref. Doedd taith i rywle fel Preston, Warrington, neu Abertawe ddim yn bleserus i'r gyrrwr, dwi'n siŵr, waeth faint o gildwrn a gesglid yng nghap Robat John Terfyn ar y ffordd adref. Hugh Evans fyddai gyrrwr arferol y band, a mynych yr edmygwn ei amynedd di-ben-draw ar y teithiau tymherus hyn – yn arbennig pan fyddai'r band wedi colli, h.y. cael cam.

Fel mae'n digwydd, mae canmlwyddiant y Moto Coch yn syrthio o fewn wythnos i ddathlu deugain mlynedd buddugoliaeth hanesyddol Seindorf Trefor ym mecca'r bandiau pres yn y Belle Vue ym Manceinion ar y 6ed o Fai, 1972. Diwrnod bythgofiadwy i bawb ohonom oedd yno. Cychwyn yn blygeiniol o Drefor a'r darn prawf wedi ei ddysgu'n drwyadl. Roeddem i stopio i ymarfer yn Altrincham, ond bu damwain cyn cyrraedd y lle, pan

Hugh Evans, gyrrwr amyneddgar teithiau Seindorf Trefor.

aeth fen bost i wrthdrawiad â'n bws. Pawb yn malu awyr ynglŷn â gwir ystyr gyfriniol y digwyddiad, ai da ai drwg, ai lwcus ynte anlwcus, ai Ffawd ynte Rhagluniaeth oedd yn gyfrifol am y digwyddiad, cyn i Tomi weld cath ddu yn gwibio ar draws y ffordd o'n blaenau. Dychwelodd rhin y gwanwyn i'r Moto Coch, a do'n wir, cafwyd perfformiad bythgofiadwy ar lwyfan y Belle Vue, a chipio'r wobr gyntaf mewn cystadleuaeth o rhyw ddeunaw o fandiau o bob cwr o wledydd Prydain. Diwrnod cwbl ddiangof, a'r Moto Coch yn rhan allweddol ohono.

Tripiau 'tramor'

Yn ystod cyfnod Tom Jones fel Rheolwr (1963-89) y gwelwyd y tripiau cyntaf i lefydd pellennig dros y môr. Cofiwch chi, nid y cwmni a drefnai'r teithiau hyn, ond un o siopwyr Trefor, Ifor Evans, Siop Penmaen. Am nifer o flynyddoedd yn y saithdegau, bu'n trefnu gwyliau i lond bws o bobl ar ynys Jersey, gwyliau oedd yn hynod boblogaidd a difyr fel y gall nifer o bobl yr ardal dystio. Yn ystod y blynyddoedd cyntaf byddai hyd at dri llond bws o bobl y fro yn teithio i Plymouth i ddal y fferi dros y Môr Udd am Ynysoedd y Sianel. Gydag amser, blinwyd ar y daith bws yr holl ffordd i Plymouth, a'i newid am Fanceinion, ac yna awyren i Jersey. Do, bu teithiau Ifor yn boblogaidd iawn yn y cyfnod hwnnw.

Injan bws ac inja-roc

Bydd troeon trwstan byth a hefyd yn beryglus o agos yn hanes y Moto Coch. Cyfyd rhyw helynt neu anghydfod neu ddigwyddiad chwithig eu pennau gyda rhyw gysondeb rhyfeddol. Mae cof iraidd Tom Jones yn llawn o hanes y cyfryw bethau, ac mae wrth ei fodd yn adrodd ei straeon dwys a digri am droeon gyrfa'r cwmni.

Un stori dda yw honno am draffig-jam Ffair Llanllyfni. Roedd gyrwyr bysus y gwahanol gwmnïau wedi hen 'laru ar gymryd oriau i adael Llanllyfni ddiwrnod Ffair Glabsan. Roedd hi'n hollol tshiocyr-bloc yno! Ond roedd yna frêns ymysg gyrwyr y Moto Coch, a phenderfynodd un ohonynt roi ei weledigaeth ar waith. Ar gyrraedd ohono'r ffair, a dadlwytho llond bws o bobl lawen, bagiodd y cerbyd nes bod ei dîn bron cyffwrdd y stondin olaf yn y stryd. Roedd y bws, felly, â'i drwyn am adref, a'r cyfan fyddai'i angen ar ddiwedd y ffair oedd tanio'r injan a gollwng y brêc! Byddai adref mewn dim, tra byddai'r bysus eraill yn straffaglio'n y traffig.

Mae yna hen ddihareb a ddywed bod 'ffŵl ym mhob ffair', ac yn unman, efallai, yn fwy nag yn Ffair Llanllyfni. Y stondin a safai ar ben y rhes oedd stondin inja-roc

Llannerch-y-medd. Cyn dyfod awr ymadael, clymodd rhywun bwt o gortyn yng nghoes y stondin honno, a phen arall y cortyn yn nhîn y Moto Coch. Ar ddiwedd y ffair roedd y gyrrwr yn chwerthin yn braf am ben y gyrwyr eraill fyddai'n diawlio'r traffig-jam, tra byddai ef ei hun yn ddihangol ar ei ffordd adref mewn da bryd cyn i'r tatws a'r grefi oeri. Taniodd y peiriant a gollyngodd y brêc, ac wedi sioe fer o refio, sgrialodd hi o'r ffair. Aeth â stondin inja-roc Llannerch-y-medd i'w ganlyn!

Tresmas

Un noswaith, ac yntau'n hwylio i fynd i'w wely, cafodd Tom alwad ffôn yn dweud bod rhywun i mewn yn y garej ucha. I lawr â fo, nid yn yr hwyliau gorau, i weld drosto'i hun, ac aeth â'i gorgi bach hefo fo dan ei gesail. Pan gyrhaeddodd y garej, gwelodd yn syth bod rhywbeth o'i le, ac agorodd gil y drws mawr a gollwng yr hen gi bach i mewn i'r adeilad enfawr. Cyfarthodd y corgi a chlywyd symud sydyn yn y tywyllwch, a rhywun yn ei heglu hi i'r nos drwy un o'r

Un o fysus 1978 : y gyrrwr ydi Ken Bracegirdle

127

ffenestri.

Yn anffodus, fe syrthiodd yr hen gi bach, yn y tywyllwch dudew, i mewn i'r pit o dan un o'r dybl-decars, gan ei gwneud yn amhosibl cael gafael ynddo yn ei garchar dwfn. Bu'n rhaid i Tom druan agor y dorau, a symud y dybl-decars allan i'r iard cyn y gallwyd rhyddhau'r corgi o'i gaethiwed. Daeth hwnnw allan yn llawen a llyfgar – ond yn olew du drosto, o'i gorun i'w sawdl.

Lladron

Yn y swyddfa ceid rhes o focsus y condyctors yn barod ar gyfer trannoeth. Ym mhob bocs roedd chweigian o bres mân yn bres newid. Hwn oedd y fflôt. Un noswaith torrodd lleidr i mewn i'r swyddfa, a dwyn yr holl focsus. Methodd yr heddlu â chael hyd i'r lladron, na'r arian, na'r bocsus.

Yn ddamweiniol hollol, daeth y bocsus i'r fei, a hynny mewn cae yng Nghaeathro – a phob un yn wag!

Y Moto Coch a'i deithwyr llon yn Eisteddfod Llangollen ddiwedd y 1940au.

26.
CYFNOD NEWYDD ARALL

Yn ystod cyfnod Tom Jones fel Rheolwr, daeth un cyfnod i ben a gwelwyd wynebau newydd yn gafael yn yr awenau. Etholwyd rhai cyfarwyddwyr newydd, ac etholwyd William Vaughan-Jones, Llyn Gele, Pontllyfni, yn Gadeirydd. Dyma ŵr y mae dyled y Moto Coch yn fawr iddo dros y blynyddoedd, ac mae tystiolaeth Tom Jones yn cadarnhau hyn. Roedd yn gadeirydd ardderchog, a lles y cwmni a'r gweithlu yn flaenaf ar ei agenda bob amser.

Tom Jones (chwith) a Francis Thomas

Yn raddol, trwy ymddeoliad neu farwolaeth, ciliodd yr hen staff, a llawer o'r hen lawiau. Ym 1960 symudodd Elwyn Jones ymlaen, a daeth Arfon Pritchard, yn hogyn pymtheg oed yn syth o'r ysgol, yn brentis mecanic i lenwi'r bwlch. Bu gyda'r Moto Coch am wyth mlynedd ar hugain. Yn raddol, yn ystod y chwedegau a'r saithdegau, cyflogwyd nifer o yrwyr hefyd, un ohonynt, Ken Bracegirdle (1975) yn dal wrthi. Dau arall a benodwyd yn y cyfnod hwn oedd John Williams, Pen-steps, a John Williams, Llandwrog (1972), a fu'n Rheolwr y cwmni am gyfnod byr ddechrau'r 1990au. Ond gyda dyfodiad codi-tocyn-wrth-y-drws, aeth y galw am gondyctors yn llai ac yn llai, ac yna diflannu'n llwyr i fyd hanes.

Ym Mai 1980 daeth llanc o Bencaenewydd yn syth o'r ysgol i fod yn brentis mecanic gyda'r Moto Coch. Emyr

Griffiths oedd hwn, ac mae'n dal i weithio i'r cwmni, a bellach yn Rheolwr y gweithdy, ac yn gyfrifol am lawer o'r rheoli cyffredinol. Mae'n Dreforiad ers blynyddoedd, wedi priodi Ann, un o blant y lle, ac mae lles y Moto Coch yn agos iawn at ei galon, heb os.

Mae'n ddiddorol sylwi ar gysylltiad ffyrm loriau O.H. Owen a'i Fab â'r Moto Coch. O.H. Owen, fel y cofiwch, oedd gyrrwr cyntaf un y cwmni ym 1912. Y 'mab' yn enw'r cwmni oedd James Owen (Jim), oedd hefyd yn un o gyfarwyddwyr y Moto Coch am flynyddoedd lawer. Cafodd ef, a dau o'i yrwyr, Hugh John Pritchard (Nant Bach gynt) a James Alun Jones (Jim Alun), drwydded gyrru bws rywbryd yn y 1950au, a buont wrthi'n cynorthwyo'n rhan-amser am lawer o flynyddoedd. Gyrwyr achlysurol eraill oedd Dei Cadwaladr, Medwyn Hughes a Glyn Hughes, Pontllyfni.

Drws trugaredd wedi'i gau!

Roedd Hughie John wedi codi'n blygeiniol i nôl ei fws o'r garej am bump o'r gloch y bore. Roedd hi fel y bedd ym mhobman. Ei orchwyl oedd cario gweithwyr Gwersyll Butlins o Gaergybi at eu gwaith ym Mhenychain.

Agorodd ddrws y bws a sylwodd ar ddarn o bren ar y grisiau. Plygodd i'w godi, ac yn gwbl ddirybudd caeodd y drws arno a'i drapio gerfydd ei wddw. Ni allai symud, ac roedd y boen yn arswydus. Methai â chyrraedd at y botwm argyfwng, ac ni ddisgwylid neb arall ar gyfyl y garej am ddwyawr. Roedd y pwysau ar ei wddf mor fawr, gwyddai y byddai'n anymwybodol yn fuan. Doedd dim amdani ond gweddïo, a gweiddi, a gobeithio'r gorau. Yr aflwydd oedd, wrth gwrs, nad oedd neb yn cerdded strydoedd Trefor am bump o'r gloch y bore!

A dyna lle'i cafwyd, rhwng nefoedd a daear, yn bloeddio

nerth esgyrn ei ben, a heb fedru symud modfedd. Trwy rhyw ryfedd wyrth, clywyd ei gri, gan Nan Hughes, Glanrafon, sydd yn byw nid nepell o'r garej. Yn wir, cymaint oedd nerth bloedd Hughie John, fel y deffrôdd Nan yn ei gwely. Cododd ei gŵr, Hugh, a'i mab, Douglas, o'u gwlâu a mynd i'r garej i weld beth oedd achos y fath gomosiwn. Mewn da bryd rhyddhawyd y gyrrwr o'i garchar, ac wedi rhywfaint o dylino ar ei wddf, aeth ar ei daith i geisio pobol Butlins, hefo rhywfaint o gur yn ei ben a gwayw'n ei wegil.

Ysgrifennydd

Heb os, penodiad pwysicaf, a mwyaf pellgyrhaeddol cyfnod Tom Jones fel Rheolwr, oedd penodi olynydd i Jane Jones ar ei hymddeoliad terfynol hi ddiwedd 1976. Y sawl a gafodd y swydd allweddol hon oedd gwraig ifanc o'r pentref, sef Iris Williams, Lime Street, priod Hugh Williams, adeiladydd, a mam i ddwy ferch, Linda a Nesta. Caed ynddi gysylltiadau â dau bentref y Moto Coch – â Than-y-bwlch, Trefor, ar ochr ei thad, ac â'r Allt, Clynnog, ar ochr ei mam. Bu hefyd, am gyfnod, yn Glerc Cyngor Plwyf Llanaelhaearn, a gwnaeth waith rhagorol yno hefyd.

Bu'n benodiad doeth, a chafodd y cwmni un â'i gwasanaethodd yn deyrngar, yn alluog ac yn gydwybodol am dros bymtheg mlynedd ar hugain. Mae Iris, siŵr iawn, yn parhau yn ei swydd, a'i brwdfrydedd a'i sirioldeb heb ballu dim.

Daeth i'w swydd ar adeg hynod o anodd, a chanfu'i hun, o'i diwrnod cyntaf, ynghanol un o helyntion mwyaf y Moto Coch, helynt a allasai fod wedi rhoi'r farwol i'n Moto Ni. Bu'n rhaid iddi hi, y Rheolwr a'r Cyfarwyddwyr, wynebu argyfwng eitha difrifol.

27.
COUP D'ETAT?

Gallaf gofio'r amgylchiadau fel doe, gan i mi fod â rhan fechan, ymgynghorol, ag agweddau cyfreithiol yr helynt. Beth, felly, ddigwyddodd? Dyma grynodeb o'r hanes.

Ym 1973 gwnaed elw o £7,790, ym 1974 elw o £4,018, ac ym 1975 elw o £5,380. Roedd y cwmni, mae'n amlwg, yn llwyddo yn ei amcanion, gan gynnwys gwneud elw pur sylweddol. Rhywbryd yn ystod 1973-74, sylwyd bod nifer fawr o gyfranddaliadau'r cwmni yn cael eu gwerthu gan unigolion i un gŵr arbennig, un Mr. C.G. Tofarides, Tan-llan, Llanaelhaearn. Roedd ef yn celcio cyfranddaliadau o bob cwr, ac yn talu mwy na'u gwerth amdanynt. Teimlai'r Rheolwr a'r Cyfarwyddwyr yn anesmwyth iawn ynglŷn â gweithgareddau a thactegau Mr Tofarides, oherwydd roedd yn gwbl amlwg mai ymgais oedd yma i gipio awenau'r cwmni. Roedd hi'n amlwg hefyd bod rhywun arall tu ôl i'r cyfan, ac aeth pawb i amau pawb ar y pryd.

Yn dilyn prynu rhai cannoedd o gyfranddaliadau, cymerodd Tofarides ei gam cyntaf yng Nghyfarfod Blynyddol y cwmni yng Nghlynnog yn Nhachwedd 1974, pryd y rhoddwyd ei enw gerbron i fod yn un o gyfarwyddwyr y cwmni. O drugaredd, roedd ei gais yn annilys, gan iddo fethu â chydymffurfio â'r rheolau. Nid oedd ei gynigydd na'i eilydd yn bresennol yn y cyfarfod, felly ni chynhwyswyd ei enw yn yr etholiad.

Parhau i brynu cyfranddaliadau fu hanes y gŵr o Lanaelhaearn, fodd bynnag, ond bu'r Moto Coch yn ddigon doeth i gyflogi cyfreithwyr i ddelio â'r mater. Ym Mawrth 1975, anfonodd y cyfreithwyr lythyr at arbenigwyr ar gyfraith cwmnïau yn Llundain yn gofyn am gyngor. Meddid: 'The Directors ... *are extremely perturbed as a result of the action of a certain individual in building up a substantial shareholding in their Company'*. Dywedwyd ymhellach bod yr unigolyn hwn yn cynnig £1 yr un am gyfranddaliadau gwerth 50c yr un. Erbyn Mawrth 1975, llwyddasai i brynu 340 ohonynt, ac ar y pryd roedd wrthi fel lladd nadroedd yn canfasio ymysg y cyfranddalwyr. Roedd ganddo restr gyflawn o'u henwau.

Ddiwedd Ebrill cafwyd atebiad oddi wrth yr arbenigwyr yn Llundain (Jordan a'i Fab) yn cynghori'r cwmni i ychwanegu cymal at y rheolau fyddai'n cyfyngu ar y nifer o gyfranddaliadau y gallai unrhyw unigolyn eu dal. Yng Nghyfarfod Blynyddol 1975, a gynhaliwyd yng Nghlynnog ar y 13eg o Dachwedd, cynigiwyd nad oedd gan unrhyw unigolyn yr hawl i fod yn berchen ar fwy nag 800 o gyfranddaliadau. Cafwyd 2,051 o bleidleisiau'n cefnogi hyn, a 757 yn erbyn. Rhoddwyd enw Tofarides ymlaen unwaith yn rhagor pan yn ethol cyfarwyddwyr, ond fe'i trechwyd. Ei gynigydd oedd Hedd Wyn Roberts, 2, Erw Sant, Llanaelhaearn.

Quo vadis?

Tacteg nesaf Tofarides oedd parhau i brynu cyfranddaliadau, ond gan na allai ddal mwy nag 800, fe'u trosglwyddai i aelodau o'i deulu. Roedd y Moto Coch bellach yn hen ddigon effro i bob ystryw o eiddo'r dyn, ac fe ychwanegwyd cymal arall at erthyglau'r cwmni yn cyfyngu nifer y cyfranddaliadau i 800 o fewn un teulu. Cadarnhawyd hyn mewn Cyfarfod Cyffredinol Arbennig yn Chwefror 1977. Ond doedd y gŵr ddim am roi'r ffidil yn y to. Yn yr un cyfarfod, gwrthodwyd cais Tofarides i gael ei ethol yn gyfarwyddwr trwy ddeiseb, a hynny o 1,208 pleidlais yn erbyn 853.

Yn dilyn y trydydd cais aflwyddiannus hwn i fod yn un o gyfarwyddwyr y Moto Coch, diflannodd Tofarides 'fel y niwl o afael nant', a mwyach nid yw'r helynt ond atgof, yn rhan fechan ac eithaf dibwys o stori orfoleddus y Moto Coch.

John Jones ym 1955 gyda'i het a'i gar adnabyddus
(A40). Mae Bwlcyn yn y cefndir.

Gwilym Owen, cerddor a hanesydd o Drefor, a
sgrifennodd lyfryn bychan am y Moto Coch.

28.

DAL ATI

Dal ati i wasanaethu fu hanes y Moto Coch drwy gydol gweddill y daith. Roedd y cwmni, yn ariannol a gweinyddol, ar seiliau digon cadarn, y gefnogaeth leol yn parhau, a safon y gwasanaeth yn dal yn gartrefol a chynnes. Roedd y swyddfa erbyn hyn yn sefyll yn dalog rhwng y garej ucha ac adeiladau'r Stôr, ac enw'r cwmni'n amlwg mewn llythrennau breision coch llachar ar flaen yr adeilad. Prynu hen iard lo y Stôr wnaeth y cwmni, ac addasu garej y lorri lo yno yn swyddfa ddymunol.

Byr iawn fydd gweddill y stori, oherwydd mae'r digwyddiadau yn rhy agos at y presennol i fod yn hanes. Parhau â gorchwylion arferol cwmni bysus fu hanes y Moto Coch i ddiwedd cyfnod Tom Jones fel Rheolwr. Dangoswyd elw hefyd, flwyddyn ar ôl blwyddyn – er enghraifft, roedd elw 1980 yn £4,751, ac elw 1981 yn £12,070.

Y swyddfa, 1983 -2010, gyda'r Eifl osgeiddig yn y cefndir.

Clwb Ieuenctid Trefor, tua 1959, dan arweiniad John Gwynfor Williams
(dyn y camera!), newydd gyrraedd Y Rhyl. Gyrrwr – Raymond Antill.

Trip Clwb Pensiynwyr Trefor ar y Maes yng Nghaernarfon, ar wibdaith i
Fetws-y-coed. Trefnydd y daith, Gwladys Jones, ar y dde eithaf.

Y gwasanaeth

Parhaodd y trip Ysgol Sul hyd at y nawdegau, ond dilëwyd gwasanaeth bws Capel Ucha yn nechrau'r saithdegau. Yr un modd, trefnwyd tripiau dyddiol yn ystod wythnos gyntaf Awst i gyd-fynd â gwyliau'r Gwaith, ond pan gaeodd y lle hwnnw ym 1971, diflannodd y tripiau hefyd. Teithiwyd i'r Brifwyl ac i Eisteddfod yr Urdd, yn ogystal ag Eisteddfod Ryngwladol Llangollen, Eisteddfod Butlins a'r Sioe Fawr yn Llanelwedd. Cludwyd pobl y fro i Belle Vue Manceinion, yn arbennig i'r gystadleuaeth bandiau ddechrau Medi, a byddid yn mynd cyn belled â Blackpool i syllu ar oleuadau llachar a digon di-chwaeth y lle. A pheidied neb ag anghofio cymanfaoedd canu'r gwahanol enwadau, a Sasiwn y Plant ym Mhwllheli fis Mai.

I'r garddwyr yn ein plith, trefnid bysus i Sioeau Blodau Amwythig a Southport, ac i'r bingoistiaid, fel y soniwyd eisoes, roedd yna fws rheolaidd i Bingo Caer. Yn ystod mis Rhagfyr yn arbennig, tripiau siopio poblogaidd i Gaer, Manceinion neu Lerpwl, ac ambell dro gwelid cymaint â chwe bws yn gadael Trefor yn llawn o bobl, a'r pres yn llosgi'n eu pyrsiau.

Bu'r Seindorf yn cystadlu'n rheolaidd, a bu'r Clwb Ieuenctid yn crwydro – i Blas Pistyll y pumdegau ac i'r Sundancer yn Y Bermo'n ddiweddarach. A'r bêl-droed hithau, gyda Huw Iestyn Owen o'r Ffôr yn trefnu cludo llond bws o gefnogwyr Lerpwl i bob gêm gartref yn Anfield, a hynny dros gyfnod o tua 20 mlynedd.

Cystadleuaeth newydd

Ym 1986 daeth dadreoleiddio i darfu ar heddwch y cwmnïau bychain, ac yn gwmwl bygythiol uwch eu pennau.

Ers dros hanner canrif, roedd y Comisiynwyr Traffig wedi bod yn trwyddedu'n llym pob taith bws (gwasanaeth) fel na allai unrhyw gwmni newydd amharu ar fusnes hen gwmni sefydledig. Bellach nid oedd y rheoliad hwn yn bod.

Yn gynnar yn y 1990au gwireddwyd ofnau'r Moto Coch pan ddaeth cystadleuydd i'r maes, yn union fel y Trefor Blue drigain mlynedd a rhagor ynghynt. Roedd hwn eto yn gwmni lleol – wedi ei leoli'n lleol, a'i berchennog yn frodor o Drefor, a'i wreiddiau'n ddwfn yn naear ei fro. Sefydlwyd y cwmni hwn, Cerbydau Berwyn, ganol y saithdegau, ac ymgymerodd â chludo plant ysgol o ardaloedd gwledig dan gynllun a ddaeth i fod gan y Cyngor Sir ers dechrau'r chwedegau. Roedd Aneurin Jones, Garej Ceiri, Llanaelhaearn, wedi bod ynglŷn â busnes o'r fath gyda'i ddau finibws Bedford. Yna, gwerthodd y busnes cario plant i Ifor Evans, o Drefor, a bu yntau wrthi'n llwyddiannus yn cario am nifer o flynyddoedd cyn iddo orfod ymddeol oherwydd ei iechyd.

Ym 1982, prynwyd busnes Ifor Evans gan Brian a Marina Japheth, Cerbydau Berwyn. Bu'n llwyddiant o'r cychwyn, a chydag ymchwydd yn y busnes, cododd y cwmni garej fawr a swyddfa ar dir Cyngor Gwynedd yn ardal hen swyddfeydd y Gwaith ar waelod yr inclên yn Nhrefor. Gyda dadreoleiddio, y cam naturiol nesaf, mae'n debyg, oedd ehangu'r busnes i gynnwys pob math o fysus, o'r mini i'r dybl-decar. Y bwriad bellach oedd cystadlu'n agored â'r Moto Coch yn y meysydd hynny y bu gan y Moto Coch fonopoli arnynt (yn lleol, beth bynnag) cyhyd.

Bu anghytuno, do, a pheth gwrthdaro, a bu'n dreth ar deyrngarwch aml un, heb os. Ar brydiau, ymdebygai'r sefyllfa i'r ffars honno rhwng y faniau hufen iâ yn Glasgow (gweler y ffilm 'Comfort and Joy' 1984), a dyfnhawyd yr anghydfod am gyfnod. Fodd bynnag, yn dilyn etholiad cyffredinol 1997, cafwyd, o stabl y llywodraeth Lafur, y

Cynllun Partneriaeth Ansawdd, a oedd, mewn gwirionedd, yn dychwelyd yn rhannol i'r hen drefn trwyddedu.

Heddwch

Daethpwyd i gytundeb gyda chymorth amhrisiadwy Bob Saxby, Swyddog Trafnidiaeth Gyhoeddus Cyngor Gwynedd. Cytunwyd bod y ddau gwmni i rannu'r gwasanaeth yn gyfartal, yn cynnwys y gwasanaeth ysgolion/colegau. Bellach, mae popeth yn gweithio'n hwylus, ac mae'r gwasanaeth bysus ar y ffordd rhwng Caernarfon a Phwllheli gyda'r gorau trwy Gymru ar gyfer unrhyw ardal wledig. Bwgan mawr y ddau gwmni fel ei gilydd yw, nid y naill gwmni na'r llall, ond y bygythiad o du'r Cyngor Sir i ostwng y grantiau. Gall hyn fod yn waeth argyfwng na dim ag a welwyd.

Iris Williams, Ysgrifennydd presennol y cwmni. Fe'i penodwyd i'r swydd yn Rhagfyr 1976.

29.

EIN DYDDIAU NI

Ymddeolodd Tom Jones fel Rheolwr ym 1989 a chafwyd noson i'w chofio yn talu llu o deyrngedau iddo gan ei gydweithwyr, y Cyfarwyddwyr a llawer iawn o gyfeillion eraill. Bu'n gwasanaethu'r cwmni am dros hanner can

Cyflwyno rhodd i Tom Jones (Rheolwr) ar ei ymddeoliad ym 1989.

mlynedd, a'r gwasanaeth hwnnw'n gwbl ymroddedig, ac yn wasanaeth o'r safon uchaf un. Parhaodd i fod yn un o'r Cyfarwyddwyr tan 1994.

Rheolwyr

Yn ystod y tair blynedd ddilynol cafwyd dau Reolwr i'r cwmni. Y cyntaf ohonynt oedd John Owen, nai i Tom Jones, oedd ar y pryd yn byw yn Rhydychen. Bu ef yma am ychydig dros flwyddyn. Efallai y gellid dweud nad oedd y cwmni, bryd hynny, yn barod i ehangu ei orwelion yn unol â dyheadau'r Rheolwr newydd. Nid gwaith hawdd yw arloesi.

Yng Ngorffennaf 1990, penodwyd un a fu'n gweithio i'r Moto Coch ers deunaw mlynedd, John Williams, 42 oed, a brodor o Landwrog. Bu yn y swydd gwta ddwy flynedd.

Bu'r blynyddoedd hyn, oherwydd nifer o ffactorau economaidd, llawer ohonynt y tu hwnt i'r sefyllfa leol, yn rhai anodd dros ben i'r cwmni, a bellach roedd mewn strach go iawn a'i sefyllfa ariannol yn wirioneddol enbydus. Mewn gair, roedd yn hongian dros ymyl y dibyn, ac yn wynebu methdaliad.

Gwaredigaeth

Cafodd cyfrifydd y cwmni afael ar ŵr busnes oedd â gwir ddiddordeb yn hynt a helynt y cwmni. Michael R. Thomas oedd ei enw, a bu'n cadw siop gig lwyddiannus yng Nghaernarfon. Daeth yma'n un swydd i geisio achub y busnes. Ond doedd pethau ddim mor syml â hynny. Roedd yn ofynnol iddo gael rhywun oedd â'r cymwysterau priodol, rhywun oedd â Thystysgrif Cymhwysedd Proffesiynol. Cysylltwyd â Dafydd C.Jones, brodor o Lanfairpwllgwyngyll ym Môn, oedd yn byw ym Methesda Bach, Llanwnda, a oedd yn gweithio ar y pryd i'r Bwrdd Hyfforddi Amaethyddol yng Ngwynedd. Daeth y ddau ŵr yma yn aelodau o Fwrdd Cyfarwyddwyr y Moto Coch, gyda D.C. Jones yn Rheolwr y cwmni.

Llwyddwyd, yn Hydref 1992, i gael rhai cytundebau cario plant ysgol, yn arbennig y rhai i Ysgol Botwnnog, ac yn ara bach dechreuodd pethau wella'n ariannol. Gwelwyd llygedyn o oleuni ym mhen draw'r twnnel.

Gwrthdaro

Erbyn dechrau 1994, roedd hi'n amlwg bod cryn wrthdaro ymhlith y Cyfarwyddwyr â'i gilydd, a bod rhai, oherwydd cyflwr ariannol digon bregus y cwmni, am ddirwyn y Moto Coch i ben. Ond mae'n debyg nad cymhellion ariannol personol yn gymaint oedd tu ôl i'r gwrthdaro, ond yn hytrach gwahanol bersonoliaethau yn dod benben â'i gilydd, ac yn fwy na hynny, yn ymgiprys am reolaeth o'r cwmni. Roedd pawb, gan gynnwys holl staff y cwmni, ar binnau a than bwysau, a chafwyd brwydrau digon stormus mewn swyddfa a chyfarfodydd Cyfarwyddwyr. Ac yn gefndir i'r cyfan, ac yn achos pryder i'r ardal, roedd dyfodol y Moto Coch, ein moto ni. Doedd neb o bobl y fro am weld unrhyw hwch yn cerdded drwy'r siop, nac unrhyw ddefnydd arall, megis codi tai, o'r Cae Coch. Daeth achub y cwmni yn genhadaeth, yn ymgyrch, a rhwng newid cyfrifydd, a newid banc, ymysg digwyddiadau eraill, fe lwyddodd y garfan oedd â chydwybod gymdeithasol, ac ymdeimlad o hanes a chariad at fro, i gario'r dydd. Ni ellir omlet heb dorri'r ŵy.

Llwyddiant

Heddiw, deil Dafydd C. Jones wrth y llyw fel Rheolwr Cyffredinol, gydag Emyr Griffiths yn Rheolwr hyfedr y gweithdy, ac Iris Williams hithau, yr Ysgrifennydd, yn cadw'r llyfrau a'r dysglau'n wastad. Yn y garej, fel ar y bysus, mae yna fyddin o filwyr glew a ffyddlon.

Bellach, profwyd mai nhw oedd yn iawn. Llifodd llawer o ddŵr dan y bont yn ystod y deunaw mlynedd a aeth heibio ers yr helynt hwnnw, a diolch i weledigaeth a dycnwch y Rheolwr, yr Ysgrifennydd, a'r Cyfarwyddwyr, ynghyd â theyrngarwch y staff a phobl y fro, daeth y Moto Coch

Siop Glanrafon oedd yn siop fferyllydd dros ganrif yn ôl, ac yna'n siop fwyd ynghyd â becws. Dyma swyddfa'r Moto Coch yn 2012.

drwy'r drin, yn disgleirio fel y wawr.

Mae'r cwmni, heb os, mewn dwylo diogel, ac yn mynd o nerth i nerth. Cafwyd swyddfa newydd yn siop Glanrafon dros y ffordd i'r garej. Gwelir bysus Clynnog & Trefor yn tramwyo gwledydd Ewrop. Mae gwella'r fflyd o fysus yn broses barhaus, ac yn broses gythreulig o ddrud. Mae canfod busnes newydd hefyd yn anodd gynddeiriog, o gofio bod y Moto Coch wedi ei leoli mewn ardal digon ddifreintiedig, gyda'r boblogaeth gynhenid yn teneuo ac yn heneiddio. Newidiodd cymdeithas hefyd, ysywaeth, a gwelwyd dirywiad amlwg ym mywyd cymdeithasol a chrefyddol ein bro. Diflannodd y bwrlwm a fu, mae gan bob cartref ei gar a'i geir, aeth pris y tanwydd yn bris gwallgof gyda'r canlyniad bod y pris llogi bws yntau, yn anorfod, yn codi'n sylweddol. Mewn gair, mae yna glamp o her yn wynebu'r Moto Coch. Fe'i gorfodir i daflu'i rwyd ymhellach. Er gwaetha pawb a phopeth, nid yn unig mae o yma o hyd, ond mae hefyd yn cynyddu ac yn llwyddo.

Un peth a wn. Mae ffydd yr ardal a'r cyfranddalwyr yn

Golygfa ysblennydd bysus cyfoes y Moto Coch yn sefyll ar Ben Nant gyda Garn Ganol yr Eifl yn y cefndir. Yn y canol mae brenhines y bysus moethus – y 'Gwasanaeth Arian'

staff ymroddedig y cwmni yn ddiffuant a di-ffael. Yr un modd yng ngweledigaeth y tîm rheoli a'r Cyfarwyddwyr. Ni ellir diolch digon iddynt oll am eu teyrngarwch di-ildio, ac am eu dyfalbarhad yn codi'r cwmni unwaith yn rhagor i flasu peth o'r hen ogoniant, a chadw i'r oesoedd a ddêl hen ysbryd anturus, cynnes, cymdogol a chydweithredol yr arloeswyr gynt, ein tadau a'n teidiau, pobol y Moto Coch, pobol ein Moto Ni.

Rhown ben ar y mwdwl heb ragor o ffws,
A neidiwn i'r Commer – ar do yr hen fws.
Ie, taniwch yr injan a chanwch y gloch!
Mae 'na ganrif ar gychwyn i'r Moto Coch!

Staff y Moto Coch ym Mawrth 2012. Y Rheolwr, D.C.Jones, yn y cefn ar y dde eithaf.

ATODIAD 1
Staff y Moto Coch, 2012

Rheolwr Cyffredinol:
Dafydd C. Jones
Rheolwr Gweithdy:
Emyr Wyn Griffiths
Ysgrifennydd: Iris Williams
Mecanyddion: Paul Eccles/Gwilym Roberts

Gyrwyr ac eraill

Kenneth Bracegirdle

Emyr Griffiths

Malcolm Owen

Marc Williams

Glyn Jones

Phil Warrington

Rob Gange

Marc Eyres

Neil Davies

Trudy Roberts

Alun Roberts

Aled Griffith

Aeron Griffith

Gary Edwards

Bleddyn Jones

Meirwen Cullen

Glyn Williams

Robin Williams

Helen Jones

Dei Jones

Gwilym Griffiths

Gareth Jones

Humphrey Edwards

Meirion Jones

Geoffrey Brotherton

Danial Jones

Peter Rothery

Owen Roberts

Eddie Owen

William Hughes

Arthur Owen

David Griffiths

Keith Edwards

Ian Gould

Gwynfor Williams

Ian Hughes

Liz Owen

Marc John Roberts

ATODIAD 2
Cyfarwyddwyr y cwmni Ebrill 2012

Dafydd C. Jones
Emyr Wyn Griffiths
John Trefor Williams
Gwilym Parry
Ifan Hughes

Ysgrifennydd : Iris Williams

Y tîm rheoli presennol o flaen swyddfa newydd y cwmni : Dafydd C.Jones (chwith), Iris Williams, Emyr W.Griffiths

ATODIAD 3
Bysus y Moto Coch gydol y ganrif 1912-2012

1912-1922   Commer

1922-1932   Thornycroft

1932-1942   Thornycroft : Leyland

1942-1952   Leyland : Opel : Crossley

1952-1962   Leyland : Guy : Bedford : AEC

1962-1972   Leyland : AEC : Commer

1972-1982   AEC : Bedford

1982-1992   Leyland : AEC : Bedford : Volvo

1992-2002   Leyland : Volvo : Mercedes : Dennis : Bristol : Iveco : Daf

2002-2012   Leyland : Volvo : Mercedes : Dennis : LDV

ATODIAD 4
Bysus y cwmni yn Ebrill 2012

2   Ford Transit 16 o seddau

4   LDV 16 o seddau

2   Mercedes Mini-bus 33 o seddau (plant ysgol)

3   Mercedes Mini-bus 33 o seddau (tripiau moethus)

6   Leyland Olympian Double-deckers

5   Dennis Dart

3   Volvo 70 o seddau

7   Volvo 53 o seddau (plant ysgol)

9   Volvo 53 o seddau (tripiau moethus)

Syniad Da
Y bobl, y busnes – a byw breuddwyd

Glywsoch chi'r chwedl honno nad yw Cymry
Cymraeg yn bobl busnes?
Dyma gyfres sy'n rhoi ochr arall y geiniog.

**Straeon ein pobl fusnes:
yr ofnau a'r problemau wrth fentro;
hanes y twf a gwersi ysgol brofiad.**

Llaeth y Llan:
sefydlu busnes cynhyrchu
iogwrt ar fuarth ffarm
uwch Dyffryn Clwyd yn
ystod dirwasgiad yr 1980au

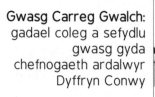

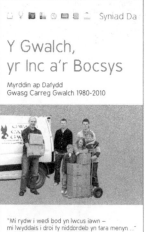

Gwasg Carreg Gwalch:
gadael coleg a sefydlu
gwasg gyda
chefnogaeth ardalwyr
Dyffryn Conwy

*HANFODOL I BOBL IFANC AR GYRSIAU BUSNES
A BAGLORIAETH GYMREIG!
£5 yr un; www.carreg-gwalch.com*

Y Llinyn Aur

Rhiannon Evans, Gof Aur Tregaron

"Nid bywyd yw Bioleg:
Mi at yn ól i'r wlad"

Rhiannon:
troi crefft yn fusnes yng
nghefn gwlad Ceredigion

Llongau Tir Sych

Thomas Herbert Jones
Caelloi Cymru 1851–2011

"Un o'r pethau gwaethaf wnaiff
rhywun ydi ymddeol..."

Caelloi Cymru:
cwmni bysys moethus o Lŷn
sy' n ddolen rhwng Cymru ac
Ewrop

Perffaith Chwarae Teg

Cefin a Rhian Roberts
Ysgol Glanaethwy 1990–2011

"Ti 'di dechra rwbath rŵan, yn do?
Fedri di'm 'i gadael hi'n fan'na, wyddost ti ..."

Ysgol Glanaethwy:
datblygu dawn yn broffesiynol
a llwyddo ar lwyfan byd

Cadw'r Byd i Droi

CLEDWYN EVANS
Teiers Cambrian 1971–2011

"Os nad yw'r teier o'ch dewis gyda ni,
yna nid yw'n bodoli ..."

Teiers Cambrian:
cwmni o Aberystwyth sydd
wedi tyfu i fod yn asiantaeth
deiers mwyaf gwledydd
Prydain

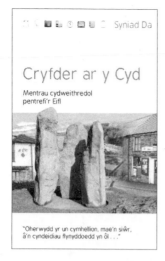

Mentrau Cydweithredol Pentrefi'r Eifl:

Nant Gwrtheyrn; Tafarn y Fic; Siop Llithfaen, Garej Clynnog, Antur Aelhaearn

Siop Chips Lloyd Llanbed
hanes y diwydiant sglodion gan
roi sylw arbennig i enillydd
gwobrau yn y maes yn Llanbed

Artist Annibynnol:

Anthony Evans yn adrodd
hanes ei yrfa fel arlunydd, yn
cynnwys sefydlu oriel a
stiwdio gydweithredol

Sylwadau ar fusnes a bywyd,
gyrfa a gwaith gan **Gari Wyn**
y gwerthwr ceir llwyddiannus
a sefydlodd Ceir Cymru
Dadansoddi treiddgar; 200
tudalen; £7.50